ONZICHTBAAR VERBONDEN

Olga van der Meer

Onzichtbaar verbonden

ISBN 978 90 205 1862 7
e-ISBN 978 90 205 1861 0
NUR 344

Omslagillustratie en –ontwerp: Bas Mazur

www.uitgeverijwestfriesland.nl
www.olgavandermeer.jouwweb.nl

HOOFDSTUK 1

Een zacht gehuil vulde de operatiekamer. Penny Staalhorst, met haar hoofd achter het groene scherm, hoorde het wel, maar het duurde even voor het tot haar doordrong dat dit haar kind was.

'Ze is er,' klonk de stem van de gynaecoloog opgewekt. Hij kwam even met zijn gezicht over het scherm en keek naar zijn patiënte.

Penny voelde de bijna onbedwingbare neiging om haar armen uit te strekken en haar kind te troosten, maar haar handen lagen vastgesnoerd om ervoor te zorgen dat ze niet bewoog tijdens de keizersnede. Haar man Huug zat naast haar aan het hoofdeinde. Hij pakte haar hand vast en kneep erin.

'Onze Sarah,' zei hij. 'Is alles goed?'

'Op het eerste gezicht wel. De kinderarts gaat haar nu onderzoeken en dan moet ze nog even de couveuse in, zoals u weet. Dat is standaard na een keizersnede.' Met een snelle beweging overhandigde de gynaecoloog de baby aan de gereedstaande kinderarts, die haar heel even voor Penny en Huug hield voor hij aan het onderzoek begon. Vanuit de hoek van de operatiekamer, waar een speciaal daarvoor dienende tafel stond, hield hij de ouders op de hoogte van zijn verrichtingen.

'Goed gezond. Ze krijgt van mij een negen,' zei hij uiteindelijk.

'Onze andere kinderen kregen een tien,' kon Huug niet nalaten bezorgd op te merken. Hij kneep nog steeds in de hand van Penny, die alles stoïcijns leek te ondergaan.

'Dat komt na een keizersnede maar weinig voor. De baby heeft even tijd nodig om aan de veranderingen te wennen. Het is niet niks als je zomaar vanuit je veilige, donkere nestje het felle licht in wordt getild.'

Zorgzaam wikkelde hij het kleine meisje in een warme doek, waarna de ouders haar eindelijk goed konden zien en kennis met haar konden maken voor ze in de couveuse werd gelegd. Een verpleegkundige reed het apparaat de operatiekamer uit, naar de kinderafdeling.

'Ga met haar mee,' verzocht Penny aan Huug.

'Ik wil jou niet graag alleen laten,' twijfelde hij.

'Je hoeft niet bang te zijn dat ik wegloop. Ik wil zeker weten dat Sarah niet verwisseld wordt met een andere baby,' drong ze aan.

Dat argument deed hem haastig de verpleegkundige volgen. Penny bleef achter onder de hoede van de gynaecoloog en het operatieteam.

'Gaat het goed met u?' informeerde de anesthesist.

Ze knikte slechts. Een eenzame traan gleed uit haar ooghoek en veroorzaakte een kriebelend spoor op haar wang, maar ze kon hem niet wegvegen. Het enige wat ze kon bewegen was haar hoofd, maar daar werd de jeuk niet minder van. Een zachte doek werd over haar gezicht gehaald. De vrouwelijke anesthesist keek haar begrijpend aan.

'Het valt niet mee, hè, zo'n ingreep? Uw andere kinderen zijn op de natuurlijke manier geboren, begreep ik. Dan zal dit wel een domper zijn. In plaats van een feestje in de verloskamer, eenzaam achterblijven op de OK. Gelukkig is uw dochter gezond, dat maakt altijd alles weer goed.'

Ze controleerde de apparatuur waar haar patiënte aan aangesloten lag en Penny draaide snel haar gezicht naar de andere kant. Ze begreep dat deze vrouw haar wilde afleiden, maar ze had geen behoefte aan een praatje. Ze sloot haar ogen in de hoop dat ze haar allemaal met rust zouden laten terwijl de arts aan het hechten was. Dat duurde trouwens langer dan de hele keizersnede, was haar van tevoren verteld. Het was een secuur werkje omdat de buikwand uit diverse lagen bestond, die stuk voor stuk gehecht moesten worden. Pas een uur later werd ze naar de verkoeverkamer gebracht, waar Huug op haar wachtte.

'Ik heb er persoonlijk op toegezien dat Sarah een armbandje met de goede gegevens omkreeg,' zei hij. 'En ik heb meteen de hele familie gebeld. Iedereen is blij voor je dat de ingreep achter de rug is.'

'Nu nog herstellen,' zei Penny met een flauwe glimlach. 'Veel mensen denken dat een keizersnede een makkie voor de moeder is. Bevallen zonder pijn, dat wil iedereen wel. Maar ik voel me geradbraakt. Nu al, terwijl de verdoving nog niet eens uitgewerkt is.'

'Dat is slechts een kwestie van tijd,' troostte Huug haar. 'Kijk eens, voor op je nachtkastje.'

Hij haalde een foto uit zijn borstzak tevoorschijn en hield die haar voor. Penny zag een afbeelding van Sarah in haar couveuse. De baby had haar oogjes open en leek haar moeder recht aan te kijken. Weer biggelde er een traan langs haar wang, die ze driftig wegveegde. Gelukkig kon ze dat nu zelf. Ze haatte het om afhankelijk van anderen te zijn, zelfs als het om zoiets kleins ging als het afvegen van haar gezicht.

'Wat is ze mooi,' zei ze zacht. 'Ze lijkt op Tessa.'

'Eén gezicht met haar zus,' beaamde Huug. 'Ik haal haar en Julian trouwens straks op. Ze kunnen niet wachten om hun nieuwe zusje te zien. Vooral Tessa was door het dolle heen.'

'Dat verandert vast nog wel als Sarah eenmaal thuis is en haar deel van de aandacht opeist,' voorspelde Penny met een glimlach. 'Kleine zusjes zijn per definitie lastig, dat zal bij ons thuis geen uitzondering zijn. Weet je nog hoe Julian reageerde toen Tessa werd geboren?'

'Hij wilde haar voortdurend uit logeren sturen,' herinnerde Huug zich. Ook hij lachte. Ze hadden destijds aardig wat te stellen gehad met Julian, dat zou hij niet gauw vergeten. Hij vond zijn zusje heel leuk, maar alleen als ze sliep. 'Maar Tessa is vijf, Julian was destijds pas twee, dat maakt vast een groot verschil. Het zou nu ook weleens de andere kant op kunnen gaan, dat Tessa meer aandacht aan Sarah geeft dan jij.'

'Is dat een verwijt?' Penny's gezicht betrok. 'Ik heb nu eenmaal een drukke baan, Huug. Als je een moederkloek voor je kinderen wilt hebben, had je niet met mij moeten trouwen. Ik ben niet in de wieg gelegd om fulltimemoeder te zijn, dat heb je altijd geweten. Het helpt echt niet als je daar voortdurend over zeurt.'

'Zo bedoelde ik het niet, het was zomaar een losse opmerking,' haastte Huug zich te zeggen.

'Ze zijn nog nooit iets tekortgekomen. Ook geen liefde, al ben ik dan niet de hele dag thuis met ze. De crèche, onze vaste oppassen en tegenwoordig de buitenschoolse opvang doen hun werk uitstekend. Ze hebben het beter dan menig ander kind.'

'Ik heb je nog nooit verweten dat je werkt.'

'Je roept wel regelmatig dat ik te weinig tijd voor de kinderen vrijmaak.'

Hun gesprek werd onderbroken door een verpleegster die Penny's bloeddruk kwam opmeten en Huug zuchtte onhoorbaar. Daar gingen ze weer. Zelfs vandaag. Penny voelde zich ontzettend snel aangevallen als het om haar baan ging. Zelfs de kleinste opmerking in die richting kon een discussie of zelfs een ruzie uitlokken. Hij had weleens bij zichzelf gedacht dat ze dan vooral zo schreeuwde om zichzelf te overtuigen. Als ze er zelf voor honderd procent achter stond, hoefde ze zichzelf tenslotte niet steeds te verdedigen, was zijn mening. Hij had geen moeite met haar fulltimebaan. Penny was een volwassen vrouw die haar eigen keuzes kon maken. Als zij gelukkiger was met een drukke baan dan als thuisblijfmoeder, moest ze dat vooral doen. Wat ze al zei, de kinderen kwamen geen liefde tekort, daar waakte hij trouwens angstvallig voor. Waar hij wel een probleem mee had, was dat ze zo veel werkte. Ook vaak de avonden en tijdens de weekenden. Die uren gingen ten koste van hun gezinsleven. Er zat niet altijd genoeg evenwicht in. Het gebeurde regelmatig dat een gepland gezinsuitstapje niet doorging omdat ze op stel en sprong iets moest regelen voor het reclamebureau dat ze samen met haar compagnon Romano had opgezet. Aan de andere kant was hij ook realistisch genoeg om toe te geven dat het runnen van een eigen bedrijf niet altijd alleen maar tijdens kantooruren kon plaatsvinden. Zonder flexibiliteit zou het bedrijf waarschijnlijk geen lang leven beschoren zijn, maar Penny wilde altijd alles zelf regelen en overal zelf bij aanwezig zijn, ook als dat niet strikt noodzakelijk was. En ook als dat betekende dat ze bijvoorbeeld een ouderavond van school miste of dat ze er niet bij was als Julian zijn kampioenswedstrijd speelde met zijn voetbalclub. Dat ging Huug te ver en dat was een eeuwig twistpunt tussen hen.

'Hoe voel je je nu?' veranderde hij haastig van gespreksonderwerp nadat de verpleegster haar werk had gedaan en naar een andere patiënt liep.

'Gaat wel. Leeg,' zuchtte Penny.

'Dat zal best. Er is net bijna acht pond uit je buik gehaald.' Huug lachte om zijn eigen grapje.

Penny beet op haar onderlip. Dat was niet wat ze bedoelde en Huug had dat kunnen weten. Ze had vaak genoeg geprobeerd hem duidelijk te maken wat ze voelde, maar hij leek dat nooit echt te begrijpen. De leegte zat niet in haar buik, die bevond zich in haar hart. Alsof daar een groot gat in zat dat nergens door opgevuld kon worden. Niet door haar huwelijk met Huug, niet door haar reclamebureau met alle drukke werkzaamheden die daarbij kwamen kijken en ook niet door de geboorten van haar kinderen. En dat laatste had ze nu toch al drie keer geprobeerd. Acht jaar geleden was ze ervan overtuigd geweest dat de leegte zou verdwijnen als ze eenmaal haar eigen kind in haar armen hield. Het was echter zelfs niet eens minder geworden. Het enige wat veranderd was, was dat ze er minder vaak last van had vanwege de drukte die kleine kinderen nu eenmaal met zich meebrachten. In het normale dagelijkse leven met werk, haar gezin en het huishouden had ze amper tijd om stil te staan bij haar gevoelens. Nu ze echter werkeloos in bed lag, zonder iets omhanden, sloeg het dubbel toe. Het liefst zou ze dit bed uit springen om iets te gaan doen, maar het zou nog wel een tijdje duren voordat ze daartoe in staat was, vreesde ze. Ze miste haar werk nu al, hoewel ze tot gisteren aan toe had doorgewerkt. Voor haar geen zwangerschapsverlof, ze vond dat ze zich dat niet kon permitteren. Bovendien had ze er geen behoefte aan gehad om zich in haar huis terug te trekken en de komst van de baby af te wachten. Ze was veel liever bezig.

Aan bevallingsverlof zou ze echter niet ontkomen. Haar lichaam zou tijd nodig hebben om te herstellen van de zwangerschap en de operatie, hoe graag ze ook aan de slag zou willen. Ze zag nu al tegen de komende weken gedwongen nietsdoen op. Als ze maar eenmaal naar huis mocht, dan had ze tenminste haar laptop en BlackBerry bij de hand. Huug had heel lief wat tijdschriften in haar ziekenhuistas gestopt, maar ze hield niet van lezen. In de spaarzame vrije momenten die ze zichzelf gunde hield ze zich bezig met de social media via het internet. Dat was tevens een goede manier van netwerken, zodat ze zich niet schuldig hoefde te voelen omdat ze haar tijd zat te verdoen. Andere hobby's had ze niet. Huug schreef in zijn vrije tijd gedichten en hij vond het leuk om met potlood portrettekeningen te maken, maar daar had zij nooit het nut van ingezien. Als hij zijn gedichten zou publiceren en zijn tekeningen tentoon zou stellen was het iets anders, maar hij deed het puur voor zijn plezier en hoefde er niet zo nodig iets mee te bereiken. Huug was helemaal niet ambitieus. Hij werkte als postbode. Een eenvoudige baan waar hij tevreden mee was omdat dit hem in staat stelde veel tijd met hun kinderen door te brengen. Dat vond hij belangrijker dan een goed salaris thuisbrengen. Nou ja, dat was ook niet nodig, daar zorgde zij al voor. Haar reclamebureau liep goed, ze hadden de laatste tijd een paar interessante opdrachten binnen weten te slepen. Huugs minieme ambities hadden haar overigens nooit gestoord, al stond zij heel anders in het leven. Ze vulden elkaar juist uitstekend aan op deze manier. Als hij net zo'n workaholic zou zijn als zij was, zou er van hun huwelijk weinig terecht zijn gekomen. Hij was de stabiele factor in haar hectische leven, haar rustpunt. Jammer dat zelfs hij niet in staat was gebleken de leegte in haar hart op te vullen.

Penny sloot haar ogen en dacht terug aan de periode waarin ze elkaar ontmoet hadden. Ze was zo ontzettend verliefd op hem dat er voor niets anders meer plaats was geweest, zelfs niet voor dat onbestemde, knagende gevoel van gemis waar ze al sinds haar prille jeugd last van had. Dat was het dus, had ze gedacht. Dat miste ze, liefde. Iemand die er exclusief voor haar was, iemand die onvoorwaardelijk van haar hield, iemand die haar nam zoals ze was en voor wie ze zich niet in allerlei bochten hoefde te wringen om geaccepteerd te worden. Zoals vroeger thuis. Eigenlijk heel vreemd dat ze dergelijke gevoelens had, want ondanks het feit dat ze geadopteerd was, was ze nooit iets tekortgekomen. Haar ouders hadden haar net zo behandeld als ze hun biologische kinderen Victoria en Lucas behandelden. Ze kreeg net zo vaak complimenten, cadeautjes of straf als zij, al naargelang haar gedrag. Penny had hen nooit kunnen betrappen op het maken van onderscheid, toch had ze het wel altijd zo gevoeld. Voor haar gevoel moest ze altijd net iets meer haar best doen, net wat liever zijn en net wat hogere cijfers op school halen om net zo goed bevonden te worden. Het waren gevoelens waar ze nooit over sprak, omdat ze met haar verstand wist dat ze geen enkele reden had om zo te denken, maar ze waren haar hele jeugd onmiskenbaar aanwezig. Trouwens, niet alleen tijdens haar jeugd. Inmiddels was ze vierendertig en kampte ze daar nog steeds mee. Het bleef toch altijd net of zij er niet helemaal bij hoorde.

Op dit soort emotionele momenten had ze daar het meest last van. Ze werd er overigens nog eens extra in bevestigd toen Huug de kinderen ging halen, die bij Victoria en haar man Boudewijn logeerden. Hoewel ze uit ervaring wist dat Victoria niet onmiddellijk op kraambezoek zou komen – dat had ze bij de andere twee ook niet gedaan – was ze toch teleurgesteld toen Huug met alleen Tessa en Julian binnenstapte in de verpleegkamer waar ze inmiddels naartoe was gebracht.

'Wilde Victoria niet mee?' kon ze niet nalaten nonchalant te vragen. Waarom deed ze dat eigenlijk, vroeg ze zich tegelijkertijd af. Alsof ze zichzelf nog even moest pijnigen.

'Ze komt over een paar dagen, als je een beetje bijgekomen bent,' antwoordde Huug. 'Ik moest je feliciteren van haar. Ze is bang dat het te vermoeiend is als ze meteen naast je bed staat.'

Net als bij de geboorten van Julian en Tessa. Normaal gedrag voor Victoria, die zelf geen kinderen had en niet begreep hoe graag een pas bevallen moeder haar kind aan haar familie wilde laten zien. Hoewel Penny dat van tevoren had geweten, gaf het haar toch een pijnlijke steek.

'Ik heb je ouders inmiddels ook te pakken gekregen,' vervolgde Huug. 'Zoals je weet vertoeven ze momenteel in Bulgarije, het kostte nog even moeite om hen te bereiken. Ze waren dolblij dat alles goed is. Zodra je thuis bent, bellen ze je zelf.'

Zonder het te weten strooide hij met deze woorden nog wat extra zout in de wond. Penny's ouders Wim en Ankie hadden vorig jaar een camper gekocht en reisden daar de halve wereld mee rond. Momenteel waren ze bezig met een rondrit door het oosten van Europa, een reis die al in de planning had gezeten voor Penny aankondigde dat ze haar derde kind verwachtte. Ze had hun zelf bezworen dat ze vanwege dit derde kleinkind hun plannen niet moesten veranderen, toch deed het pijn dat ze nu niet aanwezig waren. Onwillekeurig vroeg ze zich toch af of ze hetzelfde zouden hebben gedaan als Victoria, hun biologische dochter, een kind had gekregen. Gedachten die ze nooit helemaal kon tegenhouden.

Terwijl Huug met Julian en Tessa naar de kinderafdeling ging om Sarah in haar couveuse te bewonderen, staarde Penny met brandende ogen naar het witte plafond. De wond in haar buik begon pijn te doen en er kwam een lichte hoofdpijn opzetten. Dit was toch totaal anders dan na de bevallingen van Julian en Tessa. Toen was ze euforisch geweest en hadden ze met champagne met elkaar geproost vanwege het heuglijke feit van de geboorte. Bij zowel haar zoon als haar dochter had ze zich na de bevalling meteen weer fit gevoeld, iets waar ze nu alleen maar van kon dromen. Hoewel ze nu lichamelijk gezien geen inspanning had hoeven leveren, voelde haar lichaam aan alsof ze een marathon had gelopen. Uitgeput, pijnlijk en loodzwaar.

'Hoi, daar ben ik. Is de operatie meegevallen?'

Plotseling zwaaide de deur verder open. Penny zag een paar slanke benen in spijkerbroek, met daarboven een enorme vaas met bloemen. Ze kon niet zien wie zich daarachter bevond, maar de stem kwam haar niet bekend voor. De onbekende zette de vaas neer, zodat er een lachend gezicht met een donker pagekapsel en opvallende, blauwe ogen tevoorschijn kwam. De lach maakte echter plaats voor verbazing op het moment dat ze Penny op het bed zag liggen.

'Jij bent Jurgen niet.' Het klonk bijna beschuldigend.

'Klopt,' moest Penny toegeven. 'Mijn naam is Penny.'

'Dit is toch kamer vijfentwintig?' vroeg de vrouw verward. Ze liep terug naar de deur om het nummer te controleren. 'Ja, zie je wel. Dat is toch echt het nummer dat ik doorgekregen heb. Dan ga ik het maar even navragen. Sorry dat ik je gestoord heb, ik hoop dat je niet net lag te slapen?'

'Nee hoor. Mijn man is er, hij is even met onze kinderen naar boven, zodat ze hun nieuwe zusje kunnen bewonderen. Ik ben vanmiddag bevallen,' vertelde Penny.

'Echt? Wat leuk. Gefeliciteerd. Alles goed?'

'Ze moet alleen nog even in de couveuse blijven vanwege de operatie, maar volgens de kinderarts is ze kerngezond. Kijk, dit is ze, onze Sarah.' Trots liet Penny de foto zien die Huug op haar nachtkastje had gezet. Ook al was deze vrouw een wildvreemde voor haar, het deed haar toch goed om even te showen met haar jongste dochtertje.

'Ach, wat een schatje,' zei de vrouw vertederd. 'Wat zul je gelukkig zijn nu.' De vaas met bloemen, die ze net weer opgepakt had, zette ze opnieuw op het nachtkastje. 'Hier, jij mag ze hebben. Ik zie nog helemaal geen bloemen staan en dat is toch wel het minste wat je verdiend hebt na een dergelijke prestatie. Bovendien staat het zo feestelijk en het is tenslotte feest, al ligt je dochter op een andere verdieping.'

'Wat ontzettend lief van je,' zei Penny, geraakt door dit spontane gebaar van een vreemde terwijl haar eigen zus en broer zich nog niet eens hadden laten zien. 'Maar die Jurgen dan? Ze waren voor hem bestemd.'

De vrouw haalde haar schouders op. 'Ik koop in het winkeltje in de hal wel iets van een voetbaltijdschrift of zo, dat vindt hij toch leuker dan bloemen,' beweerde ze luchtig. 'Als ik hem tenminste ooit kan vinden in dit doolhof. Ik weet toch echt zeker dat hij kamer vijfentwintig tegen me heeft gezegd. Enfin, ik ga op zoek. Nogmaals gefeliciteerd en heel veel geluk met je gezin.' Ze zwaaide terwijl ze naar de deur liep.

'Wacht!' riep Penny. 'Hoe heet je eigenlijk?'

'Chantal.'

'Dank je wel, Chantal. Ik vind dit heel lief van je,' zei Penny.

'Het is niets. Knap maar snel op. Doei.'

De deur viel achter haar dicht en voorzichtig liet Penny zich weer terug in de kussens vallen. Met een vingertop streelde ze voorzichtig een van de fluweelachtige bloemen uit het grote boeket. Ze had vanmiddag een gezonde dochter gekregen, toch was het dit gebaar van een wildvreemde dat haar dag goed had gemaakt.

HOOFDSTUK 2

Zoekend liep Chantal Peereboom door de lange gangen, tot ze eindelijk een verpleegster tegenkwam die ze aanschoot.

'Kunt u me helpen? Ik ben op zoek naar Jurgen Smit. Hij zou in kamer vijfentwintig moeten liggen, maar dat is niet het geval.'

De wenkbrauwen van de verpleegster schoten omhoog. 'Dat lijkt me stug. In deze gang bevinden zich verloskunde en de gynaecologische afdeling. Ik denk dat u op de verkeerde verdieping zit.'

'Ik moet op de vierde zijn.'

'Dit is de derde etage. Ik denk niet dat u die Jurgen hier zult vinden.' Met een knikje liep de verpleegster door.

Chantal sloeg zich met haar vlakke hand tegen haar voorhoofd. Wat een blunder! Dat was weer typisch iets voor haar. Op het moment dat de lift stopte, was ze zonder verder te kijken uitgestapt, aannemend dat ze op de vierde verdieping waren aanbeland, waarvan ze de knop had ingedrukt. Ze had niet eens gelet op de borden die aangaven welke afdelingen hier gevestigd waren.

In zichzelf grinnikend liep ze terug naar de hal waar de liften zich bevonden. Voor die ene verdieping die haar scheidde van Jurgen kon ze makkelijk de trap nemen, maar dan moest ze daar weer naar op zoek. De liften wist ze tenminste te vinden. Ondertussen was het bezoekuur allang begonnen, Jurgen zou wel al naar haar uit liggen kijken. Hij zou vast niet kunnen lachen om haar fout, wist Chantal. Jurgen vond haar chaotisch en slordig en hij hamerde er voortdurend op dat ze beter moest nadenken voor ze iets deed. Iets als dit zou hem nooit overkomen.

Uit de lift stapte een man met twee kinderen, een jongen en een meisje.

'Sarah is mooi, hè pap?' hoorde ze de hoge stem van het meisje zeggen. 'Wanneer mag ze naar huis? Ik wil met haar spelen.'

'Dat kan nog lang niet,' bromde de jongen op een toon die aangaf hoe dom hij deze opmerking vond.

'Het gaat snel genoeg,' lachte de vader.

Bij het uit de lift stappen knikte hij naar Chantal. Dat moest de man van Penny zijn, met hun twee oudste kinderen. Een leuk stel. Ze keek hen na tot de liftdeuren zich sloten. Die Penny was ongeveer van haar eigen leeftijd, maar het was wel duidelijk dat hun levens enorm van elkaar verschilden. Zij moest er niet aan denken getrouwd te zijn en een paar kinderen op de wereld te zetten. Ze was stapelgek op baby's en peuters, maar dan vooral omdat ze hen nooit langer dan een paar uur achter elkaar meemaakte. De moederrol was niets voor haar, dat wist ze al heel lang. Ze had haar vrijheid veel te lief. Bovendien hadden kinderen een vader nodig en zij had het nog nooit langer dan een jaar uitgehouden met dezelfde man. Jurgen kende ze inmiddels zeven maanden en ze had het idee dat ook deze relatie op haar eind liep. De verliefdheid van het begin was tegenwoordig ver te zoeken. Toch wilde ze het nog niet opgeven. Ze had al zo veel vrienden gehad in de loop der jaren, ooit moest het toch lukken om een echte band op te bouwen met iemand. Een trouwboekje was daar niet voor nodig, wel wederzijdse liefde en respect. Ze dacht dat bij Jurgen gevonden te hebben en wilde niet zo snel al toegeven dat ze dat fout had ingeschat.

Terwijl de lift naar boven zoefde, gleden Chantals gedachten weer terug naar Penny en haar gezin. Drie kinderen, wat een opgave. Ze zou er haar handen wel aan vol hebben en er bleef waarschijnlijk weinig tijd voor haarzelf over. Ze rilde bij het idee. Nee, dat was niets voor haar. Zij vond het veel te leuk om te werken en verlangde er absoluut niet naar om haar baan in te ruilen voor een gezin. Hoewel ze niet bepaald een glanzende carrière had met haar baan als gastvrouw in het zonnebankcentrum, had ze wel veel plezier in haar werk. Ze hield ervan om alles zo goed mogelijk op orde te houden en genoot van het contact met de klanten. Veel verdiende ze er niet, maar ze had ook niet veel nodig. Het tweekamerflatje dat ze bewoonde was groot genoeg voor haarzelf, op de fiets kwam ze overal waar ze wilde wezen en als het mooi weer was bracht ze haar vrije dagen het liefst in het park vlak bij haar huis door. Samenzijn met haar vrienden en een paar flessen goedkope wijn, meer verlangde ze niet.

Eenmaal op de juiste etage aangekomen had ze Jurgen snel gevonden. Kamer vijfentwintig, dat klopte inderdaad, maar dan op de afdeling chirurgie. Hij was diezelfde ochtend geopereerd aan een acute blindedarmontsteking en moest hier nog een paar dagen blijven. Ondanks de ingreep die hij achter de rug had, zat hij rechtop in zijn bed. In tegenstelling tot de andere patiënt in de kamer, tegenover Jurgen, had hij geen bezoek, zag Chantal. Zo vreemd was dat niet. Jurgen was een man met weinig vrienden en zijn familie woonde hier niet in de buurt. Een jaar geleden was hij vanuit het uiterste noorden van het land naar deze stad verhuisd vanwege zijn werk. Hij praatte niet vaak over zijn baan, maar uit zijn summiere verhalen had ze wel begrepen dat hij slecht overweg kon met zijn collega's. Het was dan ook niet verwonderlijk dat die nu niet aan zijn bed zaten.

'Waar bleef je nou?' was zijn norse begroeting. 'Ik zit al een kwartier naar die deur te staren. Mensen die niet in een ziekenhuis liggen, hebben geen idee hoe belangrijk bezoek is. Het is blijkbaar erg lastig voor je om ergens op tijd te komen.'

'Dag Jurgen,' zei Chantal rustig, al stond ze inwendig op springen. Ze had de hele dag aan hem gedacht, een paar keer naar de afdeling gebeld om te vragen hoe de operatie gegaan was en zich behoorlijk moeten haasten om hier op tijd te komen. Bovendien had ze haar lunchpauze gebruikt om bloemen voor hem te kopen, al waren die dan uiteindelijk ergens anders beland. Ze had wel iets beters verdiend dan deze chagrijnige begroeting en onterechte verwijten. Maar hij had net, na een zware nacht met veel pijn, een operatie achter de rug, daar moest ze rekening mee houden. Ze gaf hem een zoen op zijn wang, waarbij hij zijn gezicht vertrok.

'Voorzichtig, ik heb erg veel pijn.'

'Toch niet aan je wang?' zei ze luchtig. 'De operatie is goed gegaan, hoorde ik. Gelukkig.'

'De verpleegster vertelde dat je gebeld had,' merkte hij stug op. 'Eigenlijk had ik je vanmiddag wel op het bezoekuur verwacht, maar dat was blijkbaar te veel moeite voor je. Bellen is makkelijker.'

'Toen ik belde, zeiden ze dat ik beter niet kon komen omdat je nog niet helemaal wakker was, anders had ik wel een uurtje vrij gevraagd.'

'Ja, vast.' Het klonk schamper. 'Daarom ben je nu ook zo vroeg, je kon niet wachten om me te zien.'

'Ik ben vanuit mijn werk meteen gekomen, ik heb nog niet eens tijd gehad om te eten.'

'Dat zal wel zwaar voor je zijn. Ruilen?' vroeg hij cynisch.

Chantal beet op haar lip. Hij voelde zich ongetwijfeld beroerd, toch voelde ze de neiging opkomen om op te staan en weg te lopen. Er was nog geen normaal woord uit zijn mond gekomen, alleen maar verwijten en beschuldigingen. Alsof het haar schuld was dat hij hier lag.

'Ik maakte weer een behoorlijke blunder,' begon ze gemaakt vrolijk te vertellen in een poging de sfeer wat luchtiger te maken. 'Ik was op de verkeerde verdieping uit de lift gestapt en als gevolg daarvan dus ook de verkeerde kamer binnengegaan. Blijkt het de verloskundige afdeling te zijn. De verpleegster keek me erg vreemd aan toen ik vroeg waar ik jou kon vinden.'

Ze hoopte Jurgen met dit verhaal aan het lachen te maken, maar daarin kwam ze bedrogen uit.

'Echt iets voor jou,' smaalde hij. 'Moeilijk, hè, opletten op welke etage de lift stopt?'

Nu stond ze inderdaad op. Genoeg was genoeg.

'Het spijt me voor je dat je ziek bent, maar ik ben niet hierheen gekomen om door jou gekleineerd te worden,' beet ze hem toe. 'Ik kom morgen wel weer eens kijken of je normaal kunt doen.'

'Stel je niet zo aan. Ik heb een zware dag achter de rug.'

'Dat geeft je geen enkel recht je zo te gedragen. Ik ben geen deurmat waar je je voeten aan af kunt vegen om vervolgens de modder te laten liggen.'

'Je overdrijft,' zei Jurgen kort. 'Als je nu weggaat hoef je niet meer terug te komen, dan is het over tussen ons.'

'En jij denkt werkelijk dat dit ultimatum me over de streep trekt om te blijven?' spotte ze. 'Dat heb je dan toch verkeerd ingeschat. Dag Jurgen.'

Resoluut trok ze de deur van de verpleegkamer, waar ze maar amper binnen was geweest, achter zich dicht. Ze ving nog net een glimp op van de verblufte gezichten aan het andere bed. Ze moest er bijna om lachen. Met haastige passen, alsof ze bang was dat Jurgen achter haar aan zou komen, hoewel hij daar momenteel niet toe in staat was, liep ze naar de uitgang van het ziekenhuis. Deze keer nam ze de trap naar beneden. Ze moest iets hebben om haar kwaadheid op af te reageren, hard de trappen af hollen bleek een prima remedie. Eenmaal beneden liet ze zich hijgend op een bankje voor de ingang zakken, nog steeds te kwaad om haar fiets te pakken en naar huis te rijden. Ze was bang dat ze zich niet op het verkeer zou kunnen concentreren nu en dat risico nam ze liever niet.

Hun relatie was de laatste tijd al niet bepaald vlekkeloos verlopen, maar zijn gedrag van vandaag sloeg alles. Daarvoor kon hij zijn operatie echt niet als excuus gebruiken.

Weer een relatie voorbij dus, constateerde ze gelaten. De zoveelste inmiddels. Ze had het met Jurgen oprecht geprobeerd, maar een dergelijke behandeling pikte ze van niemand. Daarvoor bezat ze toch echt te veel eigenwaarde. Misschien moest ze zich er maar eens bij neerleggen dat een langdurige verbintenis niet voor haar was weggelegd. Er waren zat mensen die het beste gedijden bij losse, wisselende liefdesrelaties, blijkbaar hoorde zij daar ook bij. Aan gebrek aan aandacht had ze in ieder geval niet te klagen, over het algemeen volgde de ene vriend altijd snel de andere op. Keer op keer hoopte ze daarbij dat ze nu iemand getroffen had die op dezelfde manier in het leven stond als zij, iemand op wie ze niet snel uitgekeken zou raken. Maar zoals steeds was dat nu dus ook weer niet gelukt. Gelukkig had ze die dure bloemen niet aan hem, maar aan die Penny gegeven, dacht ze wraakzuchtig bij zichzelf. De grote, gemengde bos met vaas had haar een klein kapitaal gekost. Ze zou het jammer van het geld hebben gevonden als Jurgen daar nu van had kunnen genieten. Maar zichzelf kennende was ze dan alsnog teruggegaan om die vaas op te halen. Eigenlijk jammer dat dit nu niet nodig was, ze had graag zijn gezicht willen zien bij een dergelijke actie van haar kant.

Langzaam begon ze de humor van de situatie in te zien. Ze had zo veel moeite voor Jurgen gedaan vandaag en nu was ze geëindigd op een bankje voor het ziekenhuis, met een rammelende maag vanwege een door tijdgebrek maar halve lunch en een overgeslagen avondmaaltijd. En waarom? Om afgesnauwd en beledigd te worden. Het zou weer eens niet zo zijn, zij trof dat soort dingen altijd. Gelukkig zat het niet in haar aard om snel verbitterd te raken of om het slachtoffer te gaan spelen, ze kon er altijd wel om lachen. En ze had vandaag een goede daad verricht door een onbekende vrouw een bos bloemen te geven, dacht ze opgewekt bij zichzelf. Penny had eruitgezien alsof ze wel een opkikkertje kon gebruiken.

Op dat punt van haar gedachten aangekomen, kwamen Huug, Julian en Tessa naar buiten. Chantal herkende hen meteen. Ze zwaaide naar het kleine meisje, dat enigszins verlegen naar haar lachte. Huug, in gesprek met een andere man, keek naar haar. Hij zei iets tegen zijn gesprekspartner, waarna ze haar kant op kwamen.

'Jij moet Chantal zijn, klopt dat?' vroeg Huug. 'Toen Penny me over je vertelde, begreep ik dat jij de vrouw moest zijn die ik bij de liften had gezien. Wat een lief gebaar, die bloemen.'

'Het was niets,' wuifde Chantal dat weg. 'Achteraf ben ik zelfs blij dat ik ze aan haar gegeven heb, in plaats van aan degene voor wie ze bestemd waren.' Ze stak haar hand naar hem uit. 'Gefeliciteerd met de geboorte van je dochter. Jij ook gefeliciteerd,' wendde ze zich tot de andere man terwijl ze ook hem de hand schudde. 'Met de geboorte van... een nichtje?'

'Mis gegokt,' lachte de man. Hij hield haar hand iets langer vast dan strikt noodzakelijk was. 'Ik ben Guido Metzelaer, een oude kennis van Huug. We kwamen elkaar toevallig net tegen in de hal. Maar bedankt voor je felicitaties.'

'Sorry.' Chantal voelde dat ze begon te blozen en dat kwam niet alleen door haar vergissing.

Alsof het vanzelfsprekend was kwam Guido naast haar zitten op het bankje.

'Mag ik?' vroeg hij. 'Ik heb behoefte aan een sigaret na anderhalf uur ziekenbezoek bij een collega.' Terwijl hij sprak, haalde hij een pakje sigaretten tevoorschijn dat hij haar aanbood. Chantal weigerde. Ze bezat vele ondeugden, maar roken hoorde daar niet bij, dat had ze nog nooit lekker gevonden.

'Ik ga naar huis,' zei Huug. Hij pakte Tessa, die weg wilde lopen, snel bij haar hand en riep Julian bij zich. 'Nogmaals bedankt en misschien tot ziens.'

Chantal zwaaide nog een keer naar Tessa. Eigenlijk wilde ze naar huis, want ze moest ondertussen nodig iets eten, maar het leek zo onbeleefd om meteen op te staan nadat die Guido bij haar was komen zitten.

'Jullie conversatie maakt me nieuwsgierig,' merkte hij op. 'Begrijp ik het goed dat je bloemen aan Huugs vrouw hebt gegeven terwijl je haar helemaal niet kent?'

'Dat klinkt een beetje vreemd,' gaf Chantal toe. Ze deed hem het verhaal uit de doeken en hij moest er hartelijk om lachen.

'Geen ruzie gehad met degene voor wie de bloemen bestemd waren?' informeerde hij.

'Jawel.' Ze trok een grimas. 'Maar niet vanwege de bloemen. Eerst foeterde hij me uit omdat ik te laat was, vervolgens reageerde hij sarcastisch op mijn opmerking dat ik nog niet gegeten had en daarna deed hij heel kleinerend omdat ik op de verkeerde afdeling was beland. Ik ben maar weggegaan voordat hij me ook nog ging beschuldigen van het feit dat ik hem een blindedarmontsteking had bezorgd.'

Guido lachte nu voluit. 'Dat klinkt nog erger dan mijn bezoek hier, en ik had al zo'n medelijden met mezelf. Ik heb anderhalf uur zitten luisteren naar de klaagzang van mijn collega met hartklachten. Al die tijd hoopte ik dat er nog iemand op bezoek zou komen, zodat ik met goed fatsoen weg kon gaan. Helaas gebeurde dat niet, zodat ik het gehele bezoekuur uit moest blijven zitten.'

'Arme jij,' leefde Chantal met hem mee. 'Zo te horen mag je die collega niet erg. Waarom ga je dan toch op bezoek?'

'Menslievendheid,' was zijn antwoord. 'Ik zie eruit als een macho, maar diep in mijn hart ben ik een heel lieve man.'

'Ik geloof je onmiddellijk,' lachte Chantal.

'We delen samen een kantoor bij het bouwbedrijf waar ik logistiek medewerker ben,' ging hij nu serieus verder. 'En Joop ligt hier al een week, dus ik kon niet anders doen dan mijn gezicht een keertje laten zien. Helaas liep mijn geplande halve uurtje dus uit, ik kon niet anders dan blijven. Die man is nooit getrouwd geweest en heeft geen kinderen, hij moet zijn verhaal toch ook een keertje aan iemand kwijt.'

'We kunnen een verzoek indienen of ze hem bij Jurgen op de kamer leggen,' bedacht Chantal. 'Die krijgt ook bijna geen bezoek. Dan kunnen ze elkaar vermaken. Joop met klaagverhalen, Jurgen met zijn chagrijnige reactie.'

'Ik geloof niet dat ik mijn collega dat aan wil doen. Jurgen is je vriend?' Het klonk meer als een constatering dan als een vraag.

'Ex-vriend,' verbeterde ze hem. 'Sinds...' Ze keek op haar horloge. 'Sinds iets meer dan een uur. Zit ik hier werkelijk al zo lang? Geen wonder dat ik honger heb.' Als om haar woorden te bevestigen begon haar maag luid te rammelen.

'Dat klinkt zoals ik me voel.' Guido sprong overeind en trok haar zonder plichtplegingen aan haar hand omhoog. 'Hier aan de overkant zit een eetcafé. Zullen we daar samen een hapje gaan eten? Mijn maaltijd is er ook bij ingeschoten vandaag.'

'Waarom niet? Ik rammel.'

'Dat hoorde ik,' zei hij droog.
Een halfuur later zaten ze allebei met een groot bord met patat, saté en sla voor hun neus.
'Heerlijk,' genoot Guido. 'Persoonlijk vind ik dit altijd lekkerder dan een maaltijd met een ingewikkelde naam in een sterrenrestaurant.'
Chantal keek verrast op van haar bord.
'Dat vind ik nou ook, maar het is not done om daarvoor uit te komen. Mijn vriendengroep denkt er gelukkig hetzelfde over, maar onder bijvoorbeeld collega's is het wat anders. Als je de dertig gepasseerd bent, mag je er zo niet meer over denken, lijkt het wel. Dan hoor je dit ontgroeid te zijn. Net als picknicken in het park. Ineens moet je op een duur terras gaan zitten om daar een broodje te bestellen. Zelf je eten klaarmaken en meenemen mag blijkbaar alleen als arme student.'
'Ik vind picknicken heerlijk,' zei Guido. 'Wat lekker verfrissend om eens iemand tegen te komen met dezelfde ideeën. Ga door. Wat vind je van de uit Amerika overgewaaide hype om onderweg naar je werk koffie te kopen?'
'Zwaar overdreven,' antwoordde Chantal zonder erover na te hoeven denken. 'Pure aanstellerij. Bij ons in het zonnebankcentrum werkt zo iemand. Een hartstikke leuke meid verder, maar ze stapt iedere ochtend binnen met zo'n kartonnen beker koffie in haar hand, terwijl wij een prima apparaat hebben staan. Ze vindt zo'n coffee–to-go, zoals ze het noemt, interessant staan. Ik neem wel een bak koffie voor ik thuis de deur uit ga, burgerlijk of niet.'
'Mijn idee,' knikte Guido.
'Ik heb haar weleens gevraagd waarom ze die beker thuis niet met koffie vult voor ze naar buiten gaat, dat is een stuk goedkoper,' vertrouwde Chantal hem toe.
'Laat me raden: sindsdien praat ze niet meer met je,' veronderstelde Guido met pretlichtjes in zijn ogen.

'Het scheelt weinig. Als blikken konden doden had ik hier niet gezeten. Ze vindt me onvolwassen en absoluut niet interessant of modern. Ik ben zóóóó jaren tachtig.' Ze rolde met haar ogen. 'Dat ik geen BlackBerry heb, maakt me ook al een voorwereldlijk monster.'

'Dus ik ben niet de enige zonder zo'n apparaat? Yes! Ik begon me al een buitenbeentje te voelen. Mijn mobiel is drie jaar oud en naar de reacties van anderen te oordelen hoort hij in het stenen tijdperk thuis. Ze lachen me uit omdat ik geen andere wil, maar waarom zou ik? Deze doet het nog prima. Ik kan er geen foto's mee maken, nou en? Daar heb ik een fototoestel voor.'

'Toch niet eentje waar nog een rolletje in zit dat ontwikkeld moet worden?'

Hij grijnsde breed. 'Dat nog net niet. Ik sta wel met één been in deze eeuw, hoor. Als mijn mobiel het begeeft koop ik waarschijnlijk ook wel zo'n apparaat waar van alles en nog wat op zit, maar ik vind het onzin om zo'n ding aan te schaffen alleen maar omdat je anders niet meetelt.'

'Overconsumptie ten top,' knikte Chantal. 'Zal ik iets opbiechten? Ik heb zelfs nog een videorecorder staan. Ik gebruik hem zelden, want ik neem maar af en toe iets op en films huren doe ik helemaal niet, maar zolang hij het nog doet ben ik niet van plan om hem te vervangen door een dvd-speler.'

Guido hief zijn glas naar haar omhoog. 'Volgens mij kunnen wij het samen prima vinden. Met dank aan Jurgen die jou het ziekenhuis uit heeft gejaagd.'

'Jurgen? Wie is dat ook alweer?' grinnikte Chantal terwijl ze zijn gebaar beantwoordde. Hun glazen tikten vrolijk tegen elkaar aan.

Het was een grapje, maar het was een feit dat ze niet meer aan Jurgen had gedacht sinds ze met Guido in gesprek was geraakt. Het klikte wonderlijk goed tussen hen, ze zaten te kletsen en te lachen alsof ze oude vrienden waren in plaats van wildvreemden. Chantal had al veel vrienden versleten in de loop der jaren, maar dit was voor het eerst dat ze zich zo op haar gemak voelde bij een man.

HOOFDSTUK 3

'Ik heb nog geen zin om een eind aan deze avond te maken,' zei Guido nadat ze gegeten hadden en koffie hadden gedronken.

'Dan doen we dat toch niet?' meende Chantal simpel. Ze keek naar buiten, waar het inmiddels donker begon te worden. 'Laten we een strandwandeling maken. Dat vind ik leuk in het donker,' stelde ze impulsief voor.

Guido keek verbaasd op.

'Meen je dat nou?'

'Natuurlijk. Lekker spannend, in het licht van de vuurtoren.'

'Dat durf je aan met mij? Je kent me helemaal niet.'

Chantal monsterde zijn bruine ogen achter de brillenglazen, zijn uiterst kort geknipte haar en het kleine baardje.

'Ik ga meestal op mijn gevoel af en dat zegt me dat het wel goed zit. Bovendien kunnen we nog een kop koffie nemen voor we opstappen, dan overstelp ik je met vragen om je beter te leren kennen.'

'Prima plan,' stemde hij toe. Zijn ogen glinsterden en hij keek haar geamuseerd aan. 'Ik ben wel veel groter, gespierder en sterker dan jij.'

'Maar ik kan mezelf prima redden. Er zit een pepperspray in mijn handtas,' vertrouwde Chantal hem toe.

Guido gooide zijn hoofd achterover en lachte zo luid dat de andere gasten van het eetcafé nieuwsgierig hun kant op keken. Hij trok er ook de aandacht van de serveerster mee, zodat hij meteen nog maar twee koffie bestelde.

'Bedankt voor de waarschuwing. Dan weet ik alvast waar ik op moet letten,' grinnikte hij zodra die gebracht waren.

'Je krijgt eerst nog een aantal vragen te verwerken voor ik met je meega,' zei Chantal. Ze begon steeds meer plezier in deze avond te krijgen. Guido beviel haar bovenmatig. Waar Jurgen een krap zeventje was geweest – tenminste, in het begin van hun relatie – kreeg Guido nu al een dikke negen van haar. Hij zag er leuk uit, had gevoel voor humor, was iemand die niet met de grote meute meeliep en hij dacht niet zo in regeltjes en verplichtingen. Bovendien gaf hij haar gewoon een goed gevoel.

'Oké, eerste vraag. Heb je een vriendin?' begon ze.

Guido schudde zijn hoofd. 'Nee, want dan zou ik hier nu niet met jou zitten en zeker geen donkere strandwandeling overwegen.'

'Goed geantwoord,' prees ze. 'Volgende. Hoe oud ben je?'

'Zesendertig. En nee, ik ben nooit getrouwd geweest en heb geen kinderen. Ik heb één keer samengewoond, maar dat werd geen succes. We zijn als goede vrienden uit elkaar gegaan, zoals dat heet, maar vervolgens heb ik haar nooit meer gezien of gesproken. Ik werk als logistiek medewerker op een bouwbedrijf, waar ik het erg naar mijn zin heb. Mijn ouders leven allebei nog, maar ik zie hen weinig omdat ze aan de andere kant van het land wonen. Ik ben enig kind, opgegroeid in een dorp waar veel familie woonde, dus ik was niet eenzaam met al die neefjes en nichtjes om me heen. Ik woon in een heel oude, maar goed gerenoveerde woning in een buitenwijk van de stad, met een tuin en geen garage,' somde Guido in sneltreinvaart op.

'Heb je hobby's?'

'Lieve help, wat wil je allemaal weten van me? Ja, ik hou van films kijken, vooral rampenfilms. Op mijn vrije dagen slaap ik graag lang uit en ik vind het leuk om in mijn huis te klussen.'

'Last van bindingsangst?'

'Dat ligt eraan.' Hij glimlachte warm naar haar. 'Als het de juiste vrouw betreft niet. Helaas ben ik die nooit eerder tegengekomen. Als ik haar ontmoet, zal ik met liefde mijn jawoord geven en haar de rest van mijn leven trouw blijven.'

'Dat is jammer. Met dit antwoord bederf je het,' zei Chantal quasiteleurgesteld.

'Ik doe anders erg mijn best om politiek correcte antwoorden te geven.'

'Te veel misschien. Dat gedeelte van het trouwen mag je wat mij betreft schrappen.'

'Jij wilt niet trouwen?' begreep hij. 'Dat hoor je niet vaak. De meeste vrouwen leven voor het moment waarop ze hun partner naar het altaar kunnen slepen.'

'Hallo, dit is de eenentwintigste eeuw, hoor. Vrouwen zijn tegenwoordig zelfstandig, zowel in emotioneel als in economisch opzicht.'

'Dan nog. Ik ben nog nooit een vrouw tegengekomen die niet wil trouwen.'

Ze knikte hem stralend toe. 'Kijk dan nog maar eens goed, er zit er eentje voor je.'

'Dan ben jij dus degene met bindingsangst,' ontdekte Guido.

Chantal schudde haar hoofd. 'Nee. Ik ben niet bang voor relaties, maar trouwen vind ik een stap te ver gaan. Mensen veranderen in de loop der tijd, dus zo'n verregaande belofte is onzinnig. Ik ben niet meer dezelfde persoon als ik tien jaar geleden was en over tien jaar zal ik anders zijn dan nu. Hoe kun je nu beloven de rest van je leven bij iemand te blijven als je niet weet hoe die persoon zich ontwikkelt?'

'Daar zit iets in,' gaf Guido nadenkend toe. 'Daar heb ik nooit zo bij stilgestaan. Als het goed is, ontwikkelen partners zich tenslotte in dezelfde richting.'

'Of niet, en dan heb je een probleem. Kijk maar om je heen, er mislukken zo veel huwelijken.'

'In mijn familie komen tot nog toe geen scheidingen voor.'

'Ik zal ook nooit zeggen dat er geen goede huwelijken bestaan, maar ik vind het risico te groot. Het is ook niet natuurlijk, volgens mij. Zolang je op school zit, ga je goed om met klasgenoten, toch verlies je die later uit het oog. Collega's precies hetzelfde. Zelfs vriendschappen duren over het algemeen niet een heel leven. Het is toch vreemd dat je dan wel eeuwige trouw aan je partner van dat moment moet beloven?' zei Chantal.

'Banden met familieleden duren wel levenslang,' merkte Guido op.

'En hoeveel families zijn er niet die amper contact met elkaar hebben, op het obligate kerstkaartje na?' kaatste ze terug.

Hij hief zijn handen in de lucht. 'Oké, ik geef me over. Je hebt gelijk. Bij dezen beloof ik je plechtig dat ik je nooit ten huwelijk zal vragen.'

'Mooi.' Ze leunde tevreden achterover. 'Op die basis durf ik een strandwandeling wel aan. Zullen we gaan?'

Haar fiets en Guido's auto stonden nog voor het ziekenhuis. Op zijn verzoek fietste Chantal eerst naar haar huis, om daar over te stappen in zijn auto.

'Dan kan ik je na onze wandeling tenminste voor je deur afzetten en hoef je niet midden in de nacht nog eens door de donkere stad te fietsen,' zei hij.

Hoewel ze regelmatig 's nachts door de stad fietste en daar helemaal niet tegen opzag, was ze geroerd door zijn zorg.

'Nu is het jouw beurt,' zei Guido later.

Ze liepen langs de donkere vloedlijn. Chantal had haar schoenen uitgetrokken en liet ze aan haar hand bungelen. Het water was koud, maar voelde heerlijk verfrissend aan.

'Voor wat?' wilde ze weten.

'Een kruisverhoor. Je hebt het vanavond dus uitgemaakt met je vriend, die Jurgen?'

'Niet helemaal,' antwoordde ze, terwijl ze in gedachten dat rampzalige kwartier aan Jurgens bed de revue liet passeren. 'Ik stond op om weg te gaan, want hij was werkelijk niet te harden, maar ik zei erbij dat ik morgen wel terug zou komen om te zien of hij dan wel normaal aanspreekbaar was. Daarop zei hij dat ik nooit meer terug hoefde te komen als ik wegging. Het vervolg weet je.'

'Dus strikt genomen heeft hij de relatie uitgemaakt?'

'Nee, ik heb ervoor gekozen om weg te gaan. Maar wat is het verschil? Uit is uit.'

'En als hij je morgen belt om zijn excuses aan te bieden, met een zielig verhaal dat hij niet wist wat hij deed omdat hij nog half onder invloed was van de narcose?'

'Dan kan hij de pot op,' was Chantals onparlementaire antwoord. 'Het zit al langer niet goed tussen ons. Zijn gedrag van vandaag was de spreekwoordelijke druppel. Ik heb schoon genoeg van hem.'

'Erg radicaal,' meende Guido.

'Onvermijdelijk. Ik heb het lang geprobeerd, maar helaas.' Chantal haalde haar schouders op. 'Misschien ligt het wel aan mij en kan ik een man niet blijvend boeien.'

'Dat kan ik me nauwelijks voorstellen.' Van opzij nam hij haar expressieve gezicht in zich op. Hij kende haar nog maar net, maar hij begreep niet dat die Jurgen haar had laten lopen. Hij vond Chantal heerlijk ongecompliceerd en verfrissend en bovendien zeer aantrekkelijk.

'Wacht maar, jij kent me nog niet.'

'Ik hoop je wel heel goed te leren kennen,' zei hij eenvoudig. 'Vertel eens wat meer over jezelf. Over je achtergrond, het gezin waar je uit voortkomt.'

'Ik ben geadopteerd, mijn biologische ouders ken ik niet.'

'Leven ze nog wel?'

'Nee. Mijn verwekker is ervandoor gegaan toen mijn moeder zwanger bleek te zijn. Vlak na mijn geboorte heeft ze zelfmoord gepleegd. Mijn adoptiemoeder en mijn echte moeder waren nichten van elkaar, daarom kwam ik bij hen in huis. Vijf jaar geleden is mijn verwekker overleden. Ik wist niet eens wie hij was, maar mijn moeder – adoptiemoeder dus – zag zijn overlijdensbericht in de krant staan.'

'Wat een heftig verhaal. Had je het wel goed bij hen?' vroeg Guido.

'Ik ben nooit iets tekortgekomen, als je dat bedoelt. Voor de rest... Ach.' Ze haalde haar schouders op. 'Mijn ouders waren al in de veertig toen ik bij hen kwam wonen en ze zaten er niet om te springen om weer zo'n kleintje groot te moeten brengen. Hun eigen zoons waren destijds tien en veertien, met hen heb ik nooit echt contact gehad. Wat ik net al zei, ons contact beperkt zich voornamelijk tot kerstkaarten en felicitatiekaarten. Mijn moeder is aan het dementeren, sinds het overlijden van mijn vader woont ze in een verpleeghuis. Sindsdien zijn haar geestelijke vermogens enorm achteruitgegaan. Meestal herkent ze me niet eens als ik op bezoek ga.'

In het voorbijflitsende licht van de vuurtoren zag Guido de bittere trek die om haar mond verscheen.

'Je bent eenzaam,' constateerde hij. Hij begreep nu ook waarom ze zo lang haar best had gedaan om de relatie met Jurgen te behouden. Ze was al zo veel kwijtgeraakt in haar leven. Zijn hart vulde zich met een gevoel dat hij zelf niet kon verklaren. Hij zou alles wel willen doen om haar eenzaamheid op te heffen en haar alle verliezen die ze had geleden te vergoeden. Chantal leek zo zorgeloos en onbevangen, maar er stak een heel triest verhaal achter.

'Eigenlijk praat ik hier nooit over. Ik begrijp zelf niet waarom ik dit allemaal aan jou vertel,' zei Chantal.

'Omdat het tegen een vreemde vaak een stuk makkelijker praat dan tegen een bekende.'

'Je voelt niet als een vreemde voor me.'

'Daar ben ik blij om.' Zijn vingers streken langs de hare en zonder erover na te denken pakte hij haar hand stevig vast. Zo liepen ze een tijdje zwijgend verder, tot hij weer begon te praten.

'Heb je vroeger nooit geprobeerd je biologische vader op te sporen? Hij is pas vijf jaar dood, zei je net. Je moet toch nieuwsgierig naar hem geweest zijn.'

'Niet echt. In televisieprogramma's zie je dit soort zaken weleens, maar ik kende het verhaal erachter al. Hij wilde me niet, zo simpel was het. Ik heb nooit de behoefte gehad om hem te leren kennen, ik wist genoeg.'

'Misschien lopen er nog wel halfbroers of halfzussen van je rond.'

Chantal gaf niet meteen antwoord, waar hij uit afleidde dat ze zich dat zelf ook weleens afgevraagd had.

'Ik heb weleens met de gedachte gespeeld om daarnaar op zoek te gaan,' gaf ze na enkele minuten toe. 'Maar ik denk niet dat ik er iets mee opschiet. Zij kunnen de leegte niet opvullen die mijn biologische ouders hebben veroorzaakt.'

'Je mist dus wel iets?' concludeerde Guido.

'Natuurlijk, dat kan bijna niet anders met zo'n achtergrond als de mijne. Ik heb een gaatje in mijn hart, zeg ik altijd. Misschien kom ik ooit nog iemand tegen die dat gat kan opvullen.'

Guido sprak niet uit wat hij dacht, namelijk dat hij hoopte dat hij die persoon mocht zijn. Hij was als een blok gevallen voor deze vrouw, die op het oog zo ongecompliceerd was. Daar had hij zich dus danig in vergist, maar dat schrok hem zeker niet af. Integendeel juist. Haar verhaal maakte haar alleen maar interessanter. Ze was in ieder geval niet zo'n leeghoofdig poppetje dat alleen maar aan haar uiterlijk dacht, zoals bij zijn vorige vriendin het geval was geweest. Hij was verliefd geworden op datzelfde uiterlijk, maar het was hem al snel opgebroken dat er geen behoorlijk gesprek met haar te voeren viel. Dat lag bij Chantal wel anders. Ze kenden elkaar pas een paar uur, toch waren ze al behoorlijk de diepte in gegaan. Er was geen sprake van een voorzichtig aftasten en het uitwisselen van slechts beleefdheden. Hij had het gevoel haar al heel goed te kennen.

In de verte schenen de lampen van een strandpaviljoen dat nog open was.

'Wie er het eerste is,' riep Guido ineens overmoedig terwijl hij begon te rennen. 'Ik heb dorst gekregen van al dat gepraat.'

'Jij? Ik heb het meeste gezegd, jij stelde alleen maar vragen,' protesteerde Chantal.

Ze praatte echter tegen zijn rug, want hij had al een sprintje ingezet. Snel zette ze de achtervolging in. Ondanks zijn voorsprong arriveerden ze bijna tegelijkertijd bij het bewuste paviljoen, Chantal net iets later. Voorovergeleund, met haar handen op haar knieën, bleef ze even staan, niet bij machte meteen iets te zeggen.

'Is dat alles wat je kunt? Ik had je hoger ingeschat,' plaagde Guido haar. Zijn ademhaling ging maar nauwelijks sneller, ontdekte Chantal. Zij hijgde als een postpaard.

'Dat is niet eerlijk, je had een valse start,' bracht ze met moeite uit.

'Dan moet je maar sneller reageren. Kunnen we naar binnen gaan of moet je nog even uithijgen?'

'Heel even.' Ze wachtte tot ze haar ademhaling weer onder controle had en volgde hem toen de zaak binnen. Het was er rustig. Aan de bar zaten een paar mannen met elkaar te praten, verder was er slechts één tafel bezet. Guido nam plaats aan een tafel in de hoek, ver bij de andere bezoekers vandaan. Hij bestelde een cola voor zichzelf en een bitter lemon voor Chantal.

'Drink je geen alcohol?' wilde hij weten.

Ze lachte. 'Ben je nu nog niet klaar met je ondervraging?'

'Mijn vragen worden ingegeven door pure belangstelling,' beweerde hij.

'Of je bent dodelijk nieuwsgierig. Ik drink graag en eerlijk gezegd best vaak wijn of likeur, maar nu heb ik dorst en dan drink ik liever iets fris. En jij?'

'Ik hou van een biertje op zijn tijd, maar nooit als ik moet rijden.'

'Alweer zo'n diplomatiek en politiek correct antwoord.'

'Waar ik ook mijn uiterste best voor doe. Je begrijpt inmiddels natuurlijk wel dat ik graag een goede indruk op je wil maken.'

Hun ogen vonden elkaar en Chantal voelde dat ze begon te blozen. Het kon vreemd lopen in het leven. Aan het begin van de avond had ze nog een relatie met Jurgen gehad. Nu, slechts enkele uren later, zat ze te flirten met een man die ze net had ontmoet, maar die gevoelens bij haar losmaakte die ze bij Jurgen nooit had gehad. Zelfs niet in het prille begin van hun relatie. Ze had Jurgen nooit over haar afkomst verteld. Hij wist alleen dat ze geadopteerd was door een oom en tante omdat haar echte ouders overleden waren, de details had ze voor zichzelf gehouden. Ze was er zelf verwonderd over dat ze die wel met deze Guido deelde. Het leek echter zo vanzelfsprekend dat ze daar niet eens vraagtekens bij zette.

'Dat lukt je dan aardig,' mompelde ze.

'Wederzijds,' zei Guido met een knipoog.

Opnieuw raakten ze in een serieus gesprek verwikkeld, tot de barman hun vriendelijk kwam vertellen dat ze gingen sluiten.

'Of we weg willen gaan,' vertaalde Guido. Hij hielp Chantal aan haar hand overeind. 'We moeten nog een heel eind teruglopen naar de auto. Red je dat of zal ik een taxi bellen?'

Dat laatste wimpelde ze haastig af. Hoewel ze moe was, kon ze zich niets fijners voorstellen dan met Guido langs het donkere, inmiddels volkomen verlaten strand te lopen. De scheidslijn tussen de zee en de lucht was niet meer te onderscheiden, zo donker was het nu. Het voelde alsof ze zich alleen op de wereld bevonden.

Met een vanzelfsprekend gebaar sloeg Guido zijn arm om haar schouders heen. Haar hand legde ze om zijn middel. Zo pasten ze precies in elkaar, als twee stukjes van een puzzel. Chantals hart ging als een razende tekeer. Ze vroeg zich af of ze ooit eerder zo razendsnel verliefd was geworden op een man. In gedachten ging ze de rij ex-vriendjes af die ze in de loop der jaren verzameld had. Nee, was haar conclusie. Ze was vaak verliefd geweest en had zelfs een paar keer oprecht van een man gehouden, maar dat waren altijd gevoelens geweest die zich langzaam ontwikkeld hadden. Met Guido was het anders. Maar Guido zelf was anders, besefte ze. Hij paste niet in het geijkte plaatje, iets wat ze alleen maar fijn vond. Zelf was ze tenslotte ook geen dertien-in-een-dozijntype. Guido zou weleens de gelijkgestemde ziel kunnen zijn die ze al jaren vergeefs zocht.

Zonder te praten slenterden ze langzaam terug, om het tijdstip van afscheid zo lang mogelijk uit te stellen. Toch kwam het moment waarop de auto op de verder lege parkeerplaats voor hen opdoemde, nog veel te snel.

'Je moet zo je nummer in mijn telefoon zetten,' zei Guido.

'Ja.'

'Dan bel ik je morgen.'

'Ja.'

'En overmorgen. En over-overmorgen en over-over-overmorgen.'

'Ja.'

'Kun je nog iets anders zeggen dan ja?'

Chantal bleef staan en hief haar gezicht naar hem op.

'Kus me,' zei ze eenvoudig.

HOOFDSTUK 4

Geheel tegen haar natuur in bracht Penny de eerste weken na haar bevalling veel tijd door in bed. Ze vond het vreselijk, maar had weinig keus. Haar lichaam weigerde normaal te doen, zoals ze het zelf noemde. De keizersnede had een enorme impact op haar, zodat ze gedwongen werd het een tijdje rustiger aan te doen. Dat weerhield haar er overigens niet van om vanuit bed haar zaken te regelen. Haar laptop en BlackBerry lagen standaard naast haar. De slaapkamer stond vol bloemen, knuffels en andere kraamcadeaus die ze van klanten, relaties en haar personeel had gekregen.

'Het lijkt hier wel een babyshowroom,' grinnikte haar zakenpartner Romano. Begeleid door Huug stapte hij de slaapkamer binnen, met twee mappen onder zijn arm en zijn onafscheidelijke laptoptas in zijn andere hand.

'Het is lief bedoeld, maar mensen staan er blijkbaar niet bij stil dat een gezin met twee kinderen al omkomt in de knuffels. Ik kan er een winkel in beginnen,' zei Penny.

'Dat dacht ik al, daarom heb ik niets gekocht,' beweerde Romano.

'O, was dat de reden? Ik dacht dat je gewoon een onattente hork was,' hoonde Penny.

'Ook dat,' gaf hij ruiterlijk toe. 'Ik had echt geen idee, daarom heb ik die bloemen laten bezorgen. Nog gefeliciteerd, trouwens.' Hij boog voorover en plantte een kus op haar wang.

'Dank je. Wil je Sarah zien?'

Hij trok een benauwd gezicht. 'Moet dat?'

Penny grinnikte. Deze reactie had ze kunnen verwachten. Als er iemand was die niets met baby's ophad, was het Romano wel. Ze kende hem door en door. Ze hadden destijds tegelijkertijd hun opleiding gevolgd en sindsdien contact gehouden. Hun zakelijke ideeën sloten perfect op elkaar aan, dus de beslissing om samen een reclamebureau te beginnen was niet zo moeilijk geweest. De samenwerking had nog nooit grote problemen opgeleverd. Beiden waren enthousiaste workaholics die zich met hart en ziel voor hun bedrijf inzetten. Penny's huwelijk en haar drie zwangerschappen hadden daar geen verandering in gebracht.

'Wil je koffie?' informeerde Huug vanuit de deuropening van de slaapkamer.

'Goed,' antwoordde Romano afwezig. Hij keek amper op, maar installeerde zijn laptop op het bed.

'Hou je er rekening mee dat Penny herstellende is?' zei Huug met een dreigende ondertoon in zijn stem.

'We nemen alleen even de lopende zaken door,' zei Penny haastig. 'Wil jij Sarah zo haar fles geven?'

'Over twintig minuten moet ik Tessa en Julian uit school halen,' zag Huug met een blik op zijn horloge. 'Als ze net op dat moment wakker wordt, zul je het zelf moeten doen.'

Zonder op haar weerwoord te wachten trok hij de deur achter zich dicht.

'Hij kan het niet laten om te proberen een huisvrouw en moederkloek van je te maken, hè?' merkte Romano geamuseerd op.

'Dat is onzin. Huug doet bijna alles hier in huis, maar hij kan nu eenmaal geen twee dingen tegelijk,' zei Penny enigszins kortaf. Huug en Romano mochten elkaar niet, dat wist ze. Ze had zich echter nooit laten verleiden om tegen de een over de ander te klagen. Huug was haar man, de vader van haar kinderen. Romano was een zakenpartner en vriend. Ze hield van allebei, al was het op een andere manier. De ervaring had haar echter wel geleerd dat ze beide mannen beter van elkaar gescheiden kon houden. Huug was weleens jaloers op de vele tijd die ze met Romano doorbracht, al was daar geen enkele reden voor. Er was nooit sprake geweest van enige fysieke aantrekkingskracht tussen hen, ook niet toen ze elkaar pas leerden kennen en Huug nog niet in zicht was. Er was alleen een zakelijke klik. Een relatie tussen haar en Romano zou overigens gedoemd zijn te mislukken, daar was Penny van overtuigd. Daarvoor leken ze te veel op elkaar. Op werkgebied hadden ze elkaar gevonden en hoewel ze hem als haar beste vriend beschouwde, hadden ze privé geen contact met elkaar.

Ze boog zich over zijn laptop heen en keek naar de cijfers van de laatste maand. Die zagen er zeker niet slecht uit. Hun bedrijf begon langzaam maar zeker naam te maken en de opdrachten die ze binnen wisten te slepen werden steeds interessanter en gevarieerder.

'De kosten voor freelancers stijgen wel explosief,' zei ze. 'Ik denk dat de tijd rijp is om er een vaste kracht bij aan te trekken. We hebben nu wel genoeg zekerheid opgebouwd en het scheelt enorm in de kosten.'

'Dat had ik zelf ook al bedacht. Hier.' Romano opende een van zijn mappen en haalde er een papier uit, dat hij over het dekbed naar haar toe schoof. 'Dit lijkt me een geschikte kandidaat, hier is zijn cv. Hij heeft vorige maand een open sollicitatie gestuurd. Dat vind ik sowieso een gunstig teken, want het geeft aan dat iemand graag wil werken en daar ook actief naar op zoek is. Beter dan iemand die alleen op advertenties reageert zonder verder initiatief te ondernemen.'

'Ziet er goed uit,' beaamde Penny nadat ze het cv had doorgenomen en aan hem teruggaf. 'Nodig hem maar uit voor een gesprek. Over een week of twee graag, dan ben ik er waarschijnlijk ook weer bij.'

'Ik kan een oriënterend gesprek in mijn eentje doen,' bood hij aan. 'Als het niks blijkt te zijn, hoef jij je er niet mee bezig te houden. Lijkt het me wat, dan kunnen we het tweede gesprek samen doen.'

'Oké, bel hem maar.'

Ze was zo in haar zakelijke beslommeringen verdiept dat ze amper merkte dat Huug koffie binnenbracht en opmerkte dat hij de kinderen uit school ging halen.

'Sarah slaapt nog, maar zal ik haar bij je leggen voor het geval ze wakker wordt?' vroeg hij.

'Hè, wat?' Penny keek hem glazig aan.

'Ze moet zo haar flesje, ik weet niet of ik op tijd terug ben. Als ik haar bij je neerleg, hoef jij niet op te staan om haar te pakken als ze gaat huilen,' zei hij ongeduldig.

'Nee, laat maar. Als je haar nu overlegt wordt ze zeker wakker, en ik ben even bezig.'

'Ik mag toch hopen dat je haar wel te eten geeft als ze gaat huilen, ondanks je ongetwijfeld belangrijke werkzaamheden,' zei Huug sarcastisch.

'Dat komt wel goed.' Ze maakte een nonchalant gebaar met haar hand, wat Huug zijn kaken op elkaar deed klemmen. Het kwam op hem over alsof hij de kamer uit gewuifd werd. De spottende blik die Romano hem toewierp, versterkte dat gevoel nog eens.

'Dan ga ik nu naar school,' zei hij zo waardig mogelijk. Hij wilde zich niet laten kennen waar die vent bij was. 'Tot straks.'

Hij kreeg echter geen antwoord meer. Omkijkend voor hij de deur achter zich sloot, zag hij dat Penny zich alweer over een nieuw papier boog.

Kregen hij en de kinderen maar half zoveel aandacht als haar werk, dacht hij bitter bij zichzelf. Zelfs nu, terwijl ze herstelde van haar bevalling en het grootste gedeelte van de dag aan bed was gekluisterd, kon ze het niet laten. De geboorte van Sarah was toch een uitgelezen moment om het wat rustiger aan te doen, maar hij wist dat hij met dergelijke opmerkingen niet bij Penny hoefde aan te komen. Hij had het vaak genoeg geprobeerd om het effect te kunnen voorspellen. Zijn vrouw leefde pas als ze het druk had, zoveel was hem de laatste jaren wel duidelijk geworden. Ze moest voortdurend bezig zijn. Hij had weleens gedacht dat ze op de vlucht was voor haar eigen gedachten. Huug wist natuurlijk van de leegte die Penny in haar hart voelde, maar begrijpen deed hij dat niet. Hij kon zich er geen voorstelling van maken. Ze had een man, drie kinderen en een druk bedrijf. Wat had ze nog meer nodig om echt gelukkig te worden? Wist hij het maar.

Met een zucht trok hij zijn jas aan om hun twee oudste kinderen van school te halen. Omdat Penny op dit moment niet eens voor zichzelf, laat staan voor drie kinderen kon zorgen, had hij zijn vakantiedagen vast opgenomen. In de praktijk hield dat in dat ze in de zomer geen gezinsvakantie konden plannen. Hij kon af en toe een dag vrij nemen gedurende de zes weken dat de kinderen niet naar school hoefden, meer niet. Penny zou waarschijnlijk helemaal geen vrijaf nemen, wat betekende dat de kinderen de hele zomer naar de opvang toe moesten. Gelukkig hadden ze het daar goed. Zowel Julian als Tessa ging er graag naartoe. Ze hadden daar hun vriendjes en vriendinnetjes, er was meer dan genoeg speelgoed en de leiding organiseerde met goed weer leuke uitstapjes. Voor Sarah maakte het nog weinig uit. De baby had er geen benul van wie haar verzorgde, als ze haar fles en haar schone luier maar op tijd kreeg. Op praktisch gebied vormde het dan ook geen probleem, hij had alleen veel liever gezien dat hun eigen moeder wat meer tijd aan de kinderen besteedde.

Waar was het precies misgegaan? Leunend tegen de muur van de school gleden Huugs gedachten terug naar vroeger. Hij wist het niet precies. Penny was altijd iemand geweest die niet goed kon stilzitten. Vroeger had hij dat juist bewonderd in haar. Hij was blij geweest met zijn actieve vriendin en had zichzelf vaak gelukkig geprezen met het feit dat ze niet afhankelijk van hem was om beziggehouden te worden. Dat zag hij bij vrienden weleens en hij had daar altijd een afkeer van gehad. De laatste jaren sloeg ze echter door naar de andere kant. Na de bevalling van Julian had ze drie maanden verlof gehad. Destijds werkte ze nog in loondienst. Vlak voordat ze zwanger raakte van Tessa was ze samen met Romano het reclamebureau gestart. Het bevallingsverlof was er toen al bij ingeschoten, herinnerde hij zich. Toch was het nu anders dan vijf jaar geleden. Als Penny toen thuis was, was ze er ook echt. Dan speelde ze met de kinderen en praatte ze met hem. Ze kookten meestal samen terwijl Julian even voor de televisie werd gezet en Tessa in de box zat. Prettige, gezellige momenten die hij koesterde. Hoewel ze het toen toch ook al razend druk had, had hij nooit het gevoel gehad dat hij iets tekortkwam.

Dat was nu wel anders. Zelfs als Penny thuis was, zat ze met haar gedachten bij haar bedrijf, was ze met haar BlackBerry bezig of voerde ze telefoongesprekken die met het reclamebureau te maken hadden. Hij kon zich de laatste avond zonder telefoon of computer niet meer heugen. Dat was er langzaam maar zeker in geslopen en leek niet meer terug te draaien. Gesprekken daarover mondden steeds vaker uit in ruzie. Penny verweet hem dan dat hij ouderwets was en liever een vrouw wilde die hele dagen thuis zat om schoon te maken en de kinderen op te voeden, maar daar ging het hem helemaal niet om. Hij was er trots op dat ze vanuit het niets een bloeiend bedrijf had opgebouwd en had er begrip voor dat een dergelijke prestatie offers vroeg van het hele gezin.

Hij was ook meer dan bereid die te brengen. Dat hij het grootste gedeelte van de huishouding verzorgde vond hij niet meer dan normaal, gezien hun verschillende werktijden. Daar had hij nog nooit een probleem van gemaakt. Het enige wat hij wilde, was wat meer tijd voor elkaar als gezin. Qualitytime. Hij had een hekel aan dat woord, maar het gaf wel weer wat hij bedoelde. Er gewoon af en toe voor elkaar zijn, onverdeelde aandacht aan elkaar schenken, voelen dat ze bij elkaar hoorden. Dat schoot er nogal eens bij in. Soms gingen er weken voorbij dat ze elkaar amper spraken.

'Papa. Papa!' Huug werd uit zijn gedachten gehaald door Tessa, die zijn hand heen en weer schudde. 'Je zag me niet.'

'Sorry liefje, papa stond na te denken,' zei hij berouwvol. Hij tilde haar hoog boven zijn hoofd op, wat ze heerlijk vond. Ze gilde het uit van plezier.

'Mag ik Sarah de fles geven als we thuis zijn?' vroeg ze zodra ze weer op de grond stond.

'Dat weet ik nog niet. Misschien geeft mama haar nu de fles wel,' antwoordde Huug met een blik op zijn horloge. 'Ze moet nu ongeveer eten.'

'Laten we dan snel gaan,' haastte Tessa. Ze rende al voor hem uit het schoolplein af.

'We moeten nog op Julian wachten,' zei Huug terwijl hij haar aan haar hand terugtrok.

'Dat duurt altijd zo lang.'

Trappelend van ongeduld wachtte Tessa tot haar grote broer eindelijk verscheen, daarna was ze niet meer te houden. Ver voor Huug en Julian uit rende ze hun straat in.

'Niet aanbellen,' riep Huug haar waarschuwend toe.

Zodra hij de deur met zijn sleutel had geopend, hoorde hij Sarah huilen. Hij fronste zijn wenkbrauwen. Penny zou haar toch niet werkelijk laten huilen omdat haar werk voorging? Een ongekende woede steeg plotseling in hem op. Als dat werkelijk zo was, was het laatste woord daar nog niet over gesproken. Met grote passen beende hij de trap op.

Penny kwam net hun slaapkamer uit, met haar dikke ochtendjas over haar nachtjapon getrokken.

'Hoelang huilt ze al?' vroeg Huug op hoge toon.

'Net. Twee minuten, hooguit. Hoezo?' Ze keek naar zijn norse gezicht en het begon haar te dagen. 'Je denkt toch niet dat ik haar al die tijd heb laten huilen?'

'Alsof dat zo'n vreemd denkbeeld is,' zei hij.

Omdat Tessa de trap op kwam, hield hij verder zijn mond. Het zat hem echter niet lekker. Penny zei nu wel dat Sarah nog maar net aan het huilen was, maar hij geloofde haar niet op haar woord en dat vond hij nog wel het ergste. Sinds wanneer waren ze zo uit elkaar gegroeid dat zelfs zulke kleine incidenten reden gaven tot wantrouwen? Een paar jaar geleden zou dat ondenkbaar zijn geweest.

Hij hoorde hoe Penny de deur van de slaapkamer met een knal achter zich in het slot gooide. Als ze de waarheid had gesproken, was ze nu terecht kwaad. Huug was eerlijk genoeg om dat toe te geven. Er was echter geen tijd om de kwestie op te helderen. Sarahs luier verspreidde een penetrante geur en haar steeds luidere gekrijs vertelde hem dat ze honger had. Samen met Tessa verzorgde hij de baby, daarna legde hij haar terug in haar wieg. Romano zat nog steeds bij Penny in de slaapkamer.

'Pap, gaan we voetballen?' riep Julian van beneden.

'Ik kom er zo aan, pak de bal maar vast,' riep Huug terug.

Hij aarzelde bij de slaapkamerdeur, maar hij vertikte het toch om zijn verontschuldigingen bij Penny aan te bieden waar die vent bij was. Onwillekeurig bleef hij staan bij het horen van de stemmen die achter de deur opklonken. Waar praatten ze in vredesnaam al die tijd over?

'Ik zie het wel zitten, ook al is het budget niet zo hoog,' hoorde hij Romano zeggen. 'Het is natuurlijk wel een uitdaging.'

'Ik weet het niet,' klonk Penny's stem. 'De chipsmarkt

is ondertussen wel verzadigd, denk ik. Tegen die grote merken kunnen we niet echt op.'

'Dat zie je verkeerd. Biologische chips zijn juist in opkomst, mensen zijn steeds meer op zoek naar gezonde alternatieven. Het bedrag dat dit bedrijf te besteden heeft aan reclame is niet hoog, maar ik vind het een sport om het merk in de markt te zetten,' ging Romano daar tegenin.

Huug snoof minachtend. Werk, hij had het kunnen weten! Werk, werk en nog eens werk. Hij vermande zich en liep naar beneden om in de grote achtertuin met Julian en Tessa te voetballen. Gelukkig was hij niet zo ambitieus, anders zouden hun kinderen er helemaal bij inschieten.

Romano vertrok anderhalf uur later pas. Hij zwaaide nonchalant naar Huug voor hij in zijn dure sportwagen stapte. Binnen vond Huug Penny in de keuken, bezig met de voorbereidingen voor de avondmaaltijd.

'Gaat dat wel?' vroeg hij bezorgd.

'Ik ben niet van porselein,' was haar stugge antwoord. 'Ik heb bijna de hele dag op bed gelegen, ik kan nog wel iets.'

'Zal ik je helpen?'

'Nee, dank je.'

'Penny, ik...' Weer kwam Huug niet verder vanwege Tessa, die vrolijk de keuken in kwam huppelen en een heel verhaal tegen haar moeder begon af te steken.

De sfeer bleef koel tussen hen, ook tijdens de maaltijd. De kinderen leken het niet te merken, vooral Tessa babbelde enthousiast over haar schooldag. Na het eten ging Penny naar boven om Sarah te verzorgen terwijl Huug de tafel afruimde en de vuile afwas in de vaatwasmachine zette. Hij spoorde Julian aan om zich te wassen en uit te kleden, zelf hielp hij Tessa met dit ritueel. Hij las nog een verhaaltje voor, waarna ze snel insliep. Daarna was het Julians beurt. Eindelijk lagen alle drie de kinderen in bed en kon hun avond beginnen. Met twee koppen koffie liep Huug de huiskamer in, waar hij Penny languit op de bank vond.

'Ik ben moe, ik ga zo weer naar boven,' zei ze zonder hem aan te kijken.

'Penny, het spijt me,' kon hij eindelijk zeggen. 'Laten we er alsjeblieft over praten.'

'Over wat? Dat jij me als leugenaar bestempelt?' vroeg ze sarcastisch.

'Zo was het niet bedoeld. Maar je kunt me nauwelijks kwalijk nemen dat de gedachte even bij me opkwam.'

Ze ging rechtop zitten. 'Ja hoor, daar gaan we weer. Ik ben een slechte moeder, dat weet ik zo langzamerhand wel.'

'Dat heb ik nooit gezegd.'

'Je insinueert het, dat komt op hetzelfde neer. De kinderen zijn nog nooit iets tekortgekomen bij me, Huug. Als het nodig is, gaan ze altijd voor,' zei Penny.

'Jouw opvattingen van wanneer het nodig is, verschillen nogal van de mijne,' zei Huug voorzichtig.

'Ik ben inderdaad niet het type dat 's middags na schooltijd met een pot thee klaarzit, maar ik heb hen nog nooit laten huilen en nooit laten verhongeren.'

'Het spijt me dat ik dat even dacht, dat zei ik al. Ik weet hoe jij bent als je werkt, dan heb je nergens anders aandacht voor. Je was zo druk in gesprek met Romano.'

'Jaloers?' kon ze niet nalaten te schimpen.

'Nee, bezorgd,' zei Huug daarop. Hij ging naast haar zitten en pakte haar hand vast. 'Dit is je kraamtijd, je zou je helemaal niet met werk bezig moeten houden.'

'Mijn kraamtijd ligt al even achter me. Ik kamp alleen nog met de gevolgen van een operatie,' verbeterde Penny hem.

'Dan nog. Neem de tijd om te herstellen. De zaak draait ook wel zonder jou.'

'Dat wil ik niet.' Plotseling schoten de tranen in haar

ogen. 'Wat moet ik anders? De hele dag tv-kijken of lezen? Man, ik zou gek worden. Ik kan nu eenmaal niet stilzitten.'

Het bleef even stil tussen hen. Diep in gedachten streelde Huug Penny's vingers.

'Dus ook de geboorte van ons derde kind heeft je niet gebracht wat je hoopte?' zei hij toen. 'Je kampt nog steeds met hetzelfde gevoel van leegte?'

'Niet als ik bezig ben,' antwoordde Penny.

'Je kunt beter uitzoeken waar dat gevoel vandaan komt, in plaats van te vluchten in werk.'

'Dat klinkt makkelijker dan het is. Wist ik het maar.' Penny zuchtte diep. 'Het is zo'n raar, onbestemd gevoel, ik kan het niet eens goed onder woorden brengen. Zolang ik het druk heb, kan ik het tenminste verdringen.'

'Tot je vandaag of morgen instort,' voorspelde Huug somber. 'Ik maak me ongerust over je, Pen.'

'Dat is nergens voor nodig,' verzekerde ze hem. 'Ik hou ervan om het druk te hebben, dan functioneer ik beter dan wanneer ik niets omhanden heb. Dat ik veel met mijn werk bezig ben, wil niet zeggen dat ik niet van jou hou. Ik heb weleens het gevoel dat je dat denkt.'

'Ik ben weleens bang dat we uit elkaar groeien, ja,' gaf hij toe. 'Wanneer hebben we voor het laatst een echt gesprek gevoerd? Of met elkaar gevreeën?'

'We praten nu,' zei Penny met een klein lachje. 'En wie weet waar dat toe leidt.'

Ze kuste hem zacht op zijn lippen, zijn armen sloten meteen vast om haar heen. De koffie stond vergeten en koud geworden op tafel.

HOOFDSTUK 5

'Tot morgen.' Chantal sloot zorgvuldig de deur van het zonnebankcentrum af en zwaaide naar haar collega Tina, die de andere kant op fietste. Normaal gesproken reden ze een heel eind met elkaar op, maar Chantal wilde vandaag een bezoekje aan haar moeder brengen. Sinds drie jaar woonde Alida Peereboom in een zorgcentrum aan de rand van de stad. Nadat Chantals vader Henk was overleden, was haar beginnende dementie snel verergerd en was het niet verantwoord geweest om haar alleen te laten wonen. Het leek wel of ze de verandering zelf niet eens in de gaten had. Alida had zich moeiteloos aangepast in het zorgcentrum. Hoewel ze met haar hoofd in een wereld vertoefde die niemand kende, leek ze het naar haar zin te hebben.

Toch vond Chantal het moeilijk om naar haar moeder toe te gaan, al bezocht ze haar trouw. Minstens iedere twee weken ging ze vanuit haar werk langs of bracht ze haar op zondag een bezoekje. Meestal herkende Alida haar niet en dat deed meer pijn dan Chantal aan de buitenwereld wilde toegeven. Al was ze niet uit deze vrouw geboren, zij was toch haar moeder. Ze had een band met haar die ze met niemand anders had, maar als ze tegenover elkaar zaten aan een tafeltje in het restaurant van de gesloten afdeling van het zorgcentrum, leek het of ze volslagen vreemden waren.

Zo ging het ook deze avond. Alida zat in haar eentje aan een tafel. Ze keek op toen Chantal haar begroette en bijschoof aan de tafel, maar er lag geen herkenning in die blik.

'Goedenavond,' zei ze vriendelijk. 'U bent hier ook om uw kind te halen? Het duurt nog even voordat ze komen, hoor. Ze spelen buiten.'

'Dan wachten we maar,' zei Chantal. Ze had het afgeleerd om ertegenin te gaan als Alida iets dergelijks zei. Daar raakte de oudere vrouw alleen maar door van slag. Vlak na het overlijden van Henk vroeg ze steeds naar hem, waarna Chantal haar keer op keer moest vertellen dat haar man was overleden. Steeds opnieuw maakte die mededeling Alida zo verdrietig dat Chantal er zelf helemaal naar van werd. Uiteindelijk ontweek ze dit soort vragen met vage antwoorden en daar leek haar moeder tevreden mee. Zo speelden ze steeds een ander toneelstukje. Deze avond bevond Alida zich in haar hoofd blijkbaar bij een school.

'Ik kom mijn zoon halen,' vertrouwde ze Chantal toe. 'Hij is nog zo klein, hij mag nog niet alleen over straat.'

'Hoe oud is hij?' vroeg Chantal.

'Vijf. Mijn andere zoon is volwassen.'

'Heeft u geen dochters?' Chantal kon het niet laten deze vraag te stellen, al vroeg ze zich op hetzelfde moment af waarom ze zichzelf dit aandeed. Zoals ze al verwacht had, schudde Alida haar hoofd.

'Nee, twee zoons.' Daarna verzonk ze in diep gepeins. Chantal bleef stil zitten. Het bleef pijn doen, hoewel dit al vaker voorgekomen was. Alida wist vaak ineens heel helder iets over vroeger te vertellen, maar zij, Chantal, kwam in die verhalen niet voor.

'Komt u hier bij iemand op bezoek?' vroeg Alida plotseling. De afwezige blik was uit haar ogen verdwenen.

'Ja. Bij jou, mam,' antwoordde Chantal met een brok in haar keel. Ze legde haar hand op die van haar moeder. 'Ken je me echt niet meer?'

Heel even leek er iets te dagen bij Alida. Ze fronste haar wenkbrauwen en dacht diep na.

'Waar is je zus?'

Moedeloos leunde Chantal achterover. Een paar seconden had ze hoop gehad dat Alida zou weten wie ze was. Ze had haar even zo helder aangekeken.

'Die kon niet komen, ze is thuis,' zei ze zacht.

Er trok een stralende glimlach over Alida's gezicht.

'Dus je hebt haar gevonden? Wat fijn voor je. Het was zo jammer dat het contact helemaal wegviel.'

Chantal knikte maar, het had toch geen nut om ertegenin te gaan, wist ze. Alida was duidelijk in de war. Het ene moment vertelde ze dat ze geen dochters had, het volgende moment leek ze haar te herkennen, maar informeerde ze naar een zus die ze niet had. Had ze die maar wel. Thijs en Wouter, haar broers, waren tien en veertien geweest toen ze door Henk en Alida werd geadopteerd. Ze hadden Chantal nooit echt geaccepteerd en het contact was tegenwoordig minimaal. Ze had zeker geen slechte jeugd gehad, maar een zus zou haar leven wellicht prettiger hebben gemaakt. Binnen het gezin was ze toch altijd een eenling gebleven. Haar ouders hadden haar nooit het gevoel gegeven dat ze er niet bij hoorde, maar haar broers wel. En nu Alida aan het dementeren was, leek ze Chantals komst in haar gezin helemaal vergeten te zijn. Chantal had vaak het gevoel dat ze er als los zand bij hing.

Na drie kwartier stond ze op. Alida zat al te dommelen in haar stoel, ze merkte niet eens dat Chantal wegging. Pas toen Chantal zich over haar heen boog om een kus op haar wang te geven, schrok ze op.

'Ga je al, kind?' vroeg ze. Het klonk zo gewoon dat Chantal haar adem inhield. Deze zin had ze haar moeder vaak horen zeggen. Heel even was het net of er niets met Alida aan de hand was. 'Doe de groeten aan je zus. Zeg maar dat het me spijt,' zei Alida daarna echter terwijl haar ogen alweer dichtvielen.

Chantal lachte bitter. Hoe had ze kunnen denken dat haar moeder wist wie ze was, al was het ook maar één seconde? De ervaring had haar toch wel anders geleerd. Eigenlijk kon ze deze bezoekjes net zo goed staken, dacht ze bij zichzelf terwijl ze naar de uitgang liep. Iedere willekeurige vreemde kon bij Alida aan het tafeltje aanschuiven en beweren dat ze haar dochter was, dat kwam op hetzelfde neer. Ze wist echter dat ze dat niet over haar hart zou kunnen verkrijgen. Ze zou blijven gaan, al werd haar moeder honderd. Het lege gevoel dat ze na ieder bezoek had, zou op den duur wel wennen, hield ze zichzelf voor.

Haar mobiel ging over op het moment dat ze het centrum verliet. Zonder op het display te kijken nam ze op.

'Met mij,' klonk een bekende stem in haar oor. 'Ik ben weer thuis, maar nog niet echt op de been. Kom naar me toe, Chantal. Laten we die ruzie vergeten.'

'Jurgen,' zei Chantal verwonderd. Sinds ze die avond na dat rampzalige bezoek aan hem Guido had ontmoet, was Jurgen volledig uit haar gedachten verdwenen. Ze sprak zijn naam dan ook uit op een toon alsof ze niet wist wie hij was.

'Ja, Jurgen,' lachte hij. 'Je vriend, weet je nog?'

'Mijn ex-vriend, bedoel je,' reageerde ze ad rem.

'Doe niet zo kinderachtig. Ik geef toe dat jouw bezoekje niet bepaald vlekkeloos verliep, maar dat lag niet alleen aan mij,' schoot hij in de verdediging. 'Ik was net geopereerd, daar had je wel wat meer rekening mee mogen houden. Het spijt me, oké?'

'Als je denkt dat ik hetzelfde ga zeggen, heb je het mis. Het gaat trouwens niet alleen om die ene avond. Onze relatie stelde al langer niet veel voor,' zei Chantal.

'Kom naar me toe, dan praten we erover,' stelde Jurgen voor.

'Nou nee, daar heb ik weinig behoefte aan. Het is over. Jij was daar overigens heel duidelijk in,' hielp ze hem herinneren.

'Dat was onder invloed van de narcose en de pijn. Je weet best dat ik dat niet meende.'

'Ik wel. We kunnen er beter een punt achter zetten.'

'Maar dat is belachelijk! Vanwege één ruzie? Kom op, Chantal. Je kunt wat wij hadden niet zomaar opzijschuiven.'

'Heb je soms nog verzorging nodig dat je mij ineens belt?' dacht ze hardop.

De korte stilte aan de andere kant van de lijn vertelde haar dat ze recht in de roos had geschoten met deze opmerking.

'Ik wil gewoon graag dat je komt,' zei hij toen.

'Om je bed te verschonen en eten voor je klaar te maken?' Chantal lachte spottend. 'Nee, dank je. Ik weet inmiddels hoe liefde voelt, en wat wij hadden staat daar mijlenver van af.'

'In die paar dagen?' Het was Jurgen niet kwalijk te nemen dat zijn stem ongelovig en verontwaardigd klonk. 'Maak dat de kat wijs. Je hebt je punt gemaakt en je hebt gelijk. Nogmaals, het spijt me.'

'Te laat, Jurgen. Ik hoop voor je dat je snel opknapt, maar ik zal daar geen getuige van zijn.'

Resoluut drukte Chantal hem weg. Onwillekeurig schoot ze in de lach. Jurgen had wel erg verbaasd geklonken, toch had ze ieder woord gemeend. Ook dat gedeelte dat ze inmiddels wist hoe liefde voelde. Wat Guido in twee weken tijd bij haar naar boven had gehaald, had ze nog nooit bij een andere man gevoeld. En ze had genoeg ervaring op dat gebied. Ze durfde het bijna niet hardop te zeggen omdat het zo overdreven klonk, maar Guido voelde als haar soulmate. Haar andere helft, waar ze jarenlang tevergeefs naar had gezocht. Sinds ze hem kende leefde ze als in een roes. Alles leek lichter en vrolijker om haar heen. Ze zweefde nog net niet met haar voeten boven de grond, maar veel scheelde het niet.

Ze borg haar mobiel in haar tas en bukte zich om haar fiets van het slot te halen. Zodra dat was gedaan en ze zich weer oprichtte, dacht ze even dat ze hallucineerde. Het onderwerp van haar gedachten stond haar namelijk breed lachend aan te kijken.

'Guido,' stamelde ze. 'Wat doe jij hier nou?'

'Je had verteld dat je naar je moeder ging, ik dacht dat je wel een steuntje in je rug kon gebruiken,' zei hij alsof het de normaalste zaak van de wereld was.

Chantal kon haar oren amper geloven. Ondanks de vele vrienden die ze had gehad, had ze nog nooit zoiets liefs en zorgzaams meegemaakt.

'Maar je wist toch niet hoe laat ik naar buiten zou komen?' zei ze.

'Ik sta hier al een halfuur. Ik wilde het risico niet nemen dat ik je zou missen.' Hij sloeg een arm om haar schouder en gaf haar een zoen. 'Hoe was het?'

'Zoals altijd.'

'Zwaar dus,' concludeerde hij.

'Heb je ervaring met demente mensen?' vroeg Chantal.

'Nee, maar ik kan me voorstellen hoe erg het moet zijn. Ik zie mijn ouders niet vaak, maar heb een goede band met hen. Ik moet er niet aan denken dat ze me niet meer zouden herkennen. Het klinkt heel cru, maar ik denk dat het makkelijker te dragen is als je ouders doodgaan dan dat ze geestelijk zo aftakelen. Dat gun je niemand.'

'Sommige mensen denken dat het voor mij niet zo erg is, omdat mijn moeder niet mijn echte moeder is.'

'Die mensen zijn niet goed bij hun hoofd,' zei Guido onparlementair.

Chantal drukte zich wat steviger tegen hem aan. Ze voelde zich vreemd geroerd door zijn steun en zijn medeleven. Het leek wel of hij dwars door haar heen in haar ziel kon kijken. Bij Guido kon ze volledig zichzelf zijn en hoefde ze zich niet anders voor te doen. Haar onzekere kant, die ze altijd zorgvuldig verborg onder een laag vrolijke zorgeloosheid, hoefde ze voor hem niet te camoufleren. Dat had ze die eerste avond trouwens al gemerkt.

'Dank je,' zei ze simpel.

Met de armen om elkaar heen geslagen liepen ze door de donkere stad. Guido nam Chantals fiets aan zijn andere hand mee.

'Mijn moeder zei zoiets raars,' zei ze plotseling. 'Ze vroeg naar mijn zus en zei dat ze blij was dat ik haar gevonden had. Bij het afscheid nemen zei ze dat ik haar de groeten moest doen en moest zeggen dat het haar spijt.'

'Denk je dat het wartaal is of zou er meer achter zitten?' vroeg Guido zich hardop af.

'Ik weet het niet. Ze dacht ook dat we bij een school stonden om kinderen op te halen, dus waarschijnlijk is het niets.'

'Maar het houdt je wel bezig.'

'Ik wilde dat het waar was,' bekende Chantal. 'Een zus...' Ze staarde dromerig voor zich uit. 'Ik heb er altijd van gedroomd om een zusje te hebben. Soms speelde ik dat het echt zo was. Dan hield ik hele gesprekken met haar.'

'Veel kinderen hebben een fantasievriendje.'

'Dat zal wel. Maar toch, het voelde vaak alsof het echt was. Dat ik echt een zus had, alleen was ze niet lijfelijk aanwezig.'

'Volgens mij speel jij nu met de gedachte dat je moeder in het verleden vertoefde in plaats van in een imaginaire ruimte. Je denkt, of hoopt, dat er inderdaad ergens een zus van je rondloopt,' zei Guido.

'Niet direct, maar het zou natuurlijk kunnen. Jij zei laatst ook zoiets,' bracht Chantal hem in herinnering.

'Toen hadden we het over je biologische vader en het feit dat hij wellicht nog meer kinderen gekregen heeft nadat hij je moeder in de steek heeft gelaten. Dat is iets heel anders.'

'Jij vindt dat ik zeur en dat ik spoken zie,' constateerde ze.

'Dat heb ik niet gezegd.' Guido zette haar fiets voor het raam van een snackbar en duwde haar zachtjes naar binnen. 'Kom, we gaan iets drinken. Heb jij al gegeten vanavond?'

'Nee, en ik rammel,' antwoordde Chantal.

'Dat dacht ik al. Wil je een broodje?'

Guido bestelde bij de counter, waarna ze plaatsnamen aan een tafeltje voor het raam.

'Er is natuurlijk altijd een mogelijkheid dat jij nog heel wat familie rond hebt lopen,' pakte hij de draad van hun gesprek weer op. 'Maar een zus? Dat klinkt heel onwaarschijnlijk, tenzij het een halfzus van de kant van je vader is.'

Chantal schudde haar hoofd. 'Mijn adoptieouders hebben nooit meer contact met mijn biologische vader gehad, dus ook al zou hij nog tien andere kinderen hebben, dan weet mijn moeder daar niets van. Ach, ze zal inderdaad wel wartaal hebben gesproken. Dat doet ze zo vaak. Laten we het er maar niet meer over hebben.'

'Waarom niet? Het houdt je bezig en dat is begrijpelijk. Je mist iets, dat heb je eerder gezegd. Je omschreef het als een gaatje in je hart. Wellicht heb je inderdaad een zus gehad. Heeft je eigen moeder geen kinderen gekregen vóór jou?' vroeg Guido serieus.

Chantal pakte zijn hand. 'Ik vind het heel lief van je dat je zo met me mee wilt denken, maar je gaat nu een heel onlogische richting uit. Als ik een oudere broer of zus had gehad, hadden mijn adoptieouders me dat ongetwijfeld verteld. Tenslotte was mijn adoptiemoeder een nicht van mijn biologische moeder. Ik ben dus in de familie gebleven, om het zo maar eens te zeggen. Een zeer kleine familie overigens. Mijn moeder was enig kind, mijn adoptiemoeder ook. Hun ouders leven allemaal niet meer. Mijn ouders ook niet. Mijn adoptiemoeder en mijn broers, die dus eigenlijk mijn achterneven zijn, zijn de enige familieleden die overgebleven zijn. Dat gaatje in mijn hart zit er omdat ik mijn eigen ouders mis, al heb ik hen nooit gekend.'

'Heb je met je adoptiemoeder vaak over je echte ouders gepraat?' wilde Guido weten.

'Zelden. Ze zijn altijd eerlijk geweest over het feit dat ik geadopteerd was, dat heb ik niet als een donderslag bij heldere hemel te horen gekregen toen ik wat ouder was. Ik wist dus niet beter en heb het altijd als een voldongen feit geaccepteerd,' vertelde Chantal. 'Alles wat ik ervan weet, heb ik je al verteld. Mijn verwekker ging ervandoor, mijn moeder pleegde zelfmoord vlak na mijn geboorte. De enkele keren dat ik er expliciet naar gevraagd heb, kreeg ik vage antwoorden. Dat vragen heb ik dan ook snel afgeleerd.'

'Je weet dus echt helemaal niets. Of je moeder blij met je was, bijvoorbeeld.'

'Ze heeft zelfmoord gepleegd, dat zegt volgens mij genoeg,' zei Chantal op droge toon.

'Hè bah, wat klinkt dat cynisch,' verweet Guido haar.

'Het is de realiteit. Daar doe ik verder niet zielig over, maar ik heb zeker niet de illusie dat ik welkom was. De feiten vertellen anders.'

Chantal hapte met graagte in het broodje dat haar voorgezet werd. Ze had echt honger gekregen.

'Als je weer naar je moeder toe gaat, wil ik graag mee,' zei Guido.

Ze verslikte zich bijna in de grote hap die ze nam.

'Waarom?'

'Omdat ik dit graag wil delen met je,' was zijn eenvoudige antwoord. 'We kennen elkaar pas een paar dagen, maar het zit goed tussen ons. Dat voel ik. Jij toch ook?' Hij keek haar vragend aan en Chantal kon niet anders doen dan knikken. 'Daarom dus. Alles wat jou aangaat, interesseert me. Ik hoop dat je binnenkort ook met mij mee wilt naar mijn ouders. Ik heb hun al over je verteld en ze willen graag kennismaken.'

Chantal legde haar half opgegeten broodje op het bord voor haar.

'Lopen we niet heel erg hard van stapel?' vroeg ze zich hardop af.

'Vast wel,' knikte Guido vrolijk. 'Maar wat dan nog? Is er iemand aan wie we rekenschap en verantwoording moeten afleggen? Doen we iemand kwaad?'

Ze keek in zijn vrolijke, donkere ogen en schoot in de lach.

'Je hebt helemaal gelijk,' gaf ze toe. 'Wat dan nog?'

'Het kan mij overigens niet hard genoeg gaan,' zei Guido. Hij boog zich over het tafeltje heen naar haar toe en keek haar diep in de ogen. 'Ik wist het die eerste avond al. Veel vriendinnen heb ik niet gehad, maar ik heb altijd geweten dat de ware op een dag mijn pad zou kruisen. Dat is nu gebeurd. Bereid je er maar vast op voor dat ik je nooit meer laat gaan.'

'Je kent me amper. Ik zit gecompliceerder in elkaar dan je op het eerste gezicht denkt.'

Guido lachte hardop. 'Lieve schat, dat wist ik twee uur na onze ontmoeting al. Gelukkig maar, want ik hou niet van die zielloze poppetjes met wie geen goed gesprek te voeren is. Daar ben ik bij jou tenminste niet bang voor.'

'Nee, gespreksstof genoeg,' grinnikte Chantal.

Ze had geen trek meer in haar broodje en schoof de resten ervan van zich af. Ook het halve glas cola liet ze staan. Het gezelschap van Guido was heilzamer dan eten en drinken.

'Zullen we gaan?' stelde ze voor.

Hun ogen haakten zich in elkaar. Chantal hield haar adem in. Zonder dat het uitgesproken werd, wisten ze wat er die avond zou gaan gebeuren. Zijn blik zei meer dan woorden.

'Mijn huis of het jouwe?' vroeg hij schor.

Met de armen om elkaar heen geslagen, hun lichamen zo dicht mogelijk tegen elkaar aan, liepen ze weg. Chantals fiets stond vergeten tegen de pui.

HOOFDSTUK 6

'Het is bijna zomervakantie,' merkte Huug op. Hij legde de krant die hij had zitten lezen op de tafel. 'Welke weken neem jij vrij? De opvang is bezig met het maken van de roosters voor die zes weken.'

'Vrij?' echode Penny. Afwezig staarde ze hem vanachter haar laptop aan. 'Hoe bedoel je, vrij?'

'Vrije dagen, als in niet werken,' antwoordde Huug sarcastisch. 'Je hebt drie kinderen, weet je nog? Twee daarvan zitten op school en gaan daarna naar de buitenschoolse opvang, de derde verslijt haar dagen in een crèche.'

'Doe niet zo sarcastisch.'

'Geef dan een normaal antwoord als ik je iets vraag.'

'Ik was met iets anders bezig. De campagne voor dat schoenenmerk gaat morgen van start, ik wil alles checken voor het zover is.'

'Druk, druk, druk. Alleen niet met je gezin.'

'Begin daar alsjeblieft niet weer over, dat is oude koek. Het is momenteel inderdaad razend druk, ja,' zei Penny terwijl ze haar laptop iets van zich af schoof. 'Dat heb je nu eenmaal met een eigen bedrijf. Het is hollen of stilstaan, op dit moment dus hollen. Vergeet niet dat ik de laatste maanden niets heb gedaan.'

Hij trok zijn wenkbrauwen hoog op en keek haar veelbetekenend aan, maar onthield zich van commentaar. Penny's gezicht werd rood.

'Nou ja, niet zoveel als anders,' nuanceerde ze haar eigen uitspraak. 'We hebben er overigens een personeelslid bij aangetrokken. Aan de ene kant betekent dat minder werkdruk, aan de andere kant juist meer, want zijn salaris moet wel terugverdiend worden.' Ze leunde behaaglijk achterover in de kussens van de bank, een ongewoon gebaar voor haar. 'We groeien hard, Huug. Soms is dat een beetje angstig. Wat als het mislukt?'

‘Dat gebeurt niet,’ zei hij beslist. ‘Als iemand een succes van het bedrijf kan maken ben jij het wel. Je inzet is tomeloos.’

‘Er zijn meer bedrijven met goede directeuren die failliet gaan.’ Ze glimlachte flauwtjes. ‘Eigenlijk had ik verwacht dat je iets anders zou zeggen.’

‘Zoals wat?’

‘Dat een faillissement geen ramp zou zijn, omdat ik dan meer tijd zou hebben voor de kinderen.’

‘Zo ver ga ik niet en dat weet je. Je zou doodongelukkig zijn zonder je werk. Denk je werkelijk dat ik dat wil?’ vroeg hij ernstig.

‘Je zegt vaak genoeg iets in die richting.’

‘Je raakt de balans tussen werk en gezin kwijt, ten nadele van het gezin. Dat probeer ik te voorkomen door je er regelmatig op te wijzen. Misschien is dat wel helemaal verkeerd en werkt het juist averechts.’ Huug streek met een vermoeid gebaar door zijn haren. ‘Ik weet het soms ook niet meer. Ons leven is zo enorm hectisch geworden.’

‘Ik doe toch niets anders dan de meeste mannen,’ merkte Penny op. ‘Als een man hard werkt en weinig tijd aan zijn kinderen besteedt, is er niemand die ervan opkijkt. Dan wordt hij zelfs geprezen omdat hij zijn gezin zo goed onderhoudt. Als een vrouw hetzelfde doet, wordt ze ervoor veroordeeld. Voor een vrouw moeten de kinderen altijd prioriteit nummer één zijn. Ik hou ontzettend veel van ons drietal, maar een leven als alleen moeder is nu eenmaal niets voor mij. Mijn ambitie en creativiteit nemen ook een grote plaats in.’

Huug knikte instemmend. ‘Daar zit een kern van waarheid in,’ moest hij toegeven. ‘Ik word regelmatig de hemel in geprezen omdat ik zo veel met onze kinderen bezig ben. Complimenten die geen enkele moeder krijgt.’

‘De emancipatie heeft nog een lange weg te gaan,’

grijnsde Penny terwijl ze opstond om iets te drinken in te schenken.

'Maar ik vroeg welke weken jij vrij neemt in de zomervakantie,' bracht Huug haar in herinnering. 'Mijn vakantiedagen zijn bijna allemaal op.'

'Dat wordt lastig.' Penny fronste haar wenkbrauwen. 'Juist in de zomervakantie is het erg druk. We hebben drie personeelsleden met schoolgaande kinderen, die moeten verplicht hun vakantie tijdens die zes weken opnemen.'

'Jij hebt ook schoolgaande kinderen.'

'Die het prima naar hun zin hebben op de opvang.'

'Je wilt ze toch niet werkelijk zes weken lang dagelijks naar de opvang sturen?' vroeg Huug ongelovig.

'Dat vinden ze helemaal geen straf.'

'Het is vakantie, Penny. Gezinstijd,' zei hij nadrukkelijk. 'Dit kun je niet maken. Ze zien je al zo weinig.'

'Laten we niet opnieuw deze discussie aangaan. Ik heb een bedrijf, ik kan niet zomaar vrij nemen wanneer het mij uitkomt,' zei ze ongeduldig.

'Dan had je dat eerder moeten regelen.'

'Er valt weinig te regelen. De afgelopen maanden ben ik ook half uit de roulatie geweest, vergeet dat niet. Met twee nieuwe opdrachtgevers kan ik nu niet weer verstek laten gaan.'

'Maar je kinderen in de steek laten kan wel?' informeerde hij ironisch.

'Overdrijf niet zo. Tessa en Julian vinden het geweldig op de opvang, volgens mij zijn ze daar liever dan thuis.'

'En dat vind jij geen veeg teken? Het baart mij juist zorgen,' zei hij.

'Blijf jij dan thuis om voor ze te zorgen,' riep Penny nijdig. Ze werd doodmoe van deze eeuwigdurende discussie. Daarnet had Huug haar nog gelijk gegeven met haar stelling dat buitenshuis werkende moeders veroordeeld werden door hun omgeving, maar nu puntje bij paaltje kwam, verwachtte hij dat zij haar werk verwaarloosde omdat hun kinderen toevallig vakantie hadden. Alleen omdat zij een vrouw was. Over meten met twee maten gesproken.

'Misschien is dat helemaal geen slecht idee,' zei Huug tot haar verrassing.

'Wil je onbetaald verlof opnemen tijdens hun vakantie?' vroeg ze.

Hij schudde langzaam zijn hoofd. 'Nee, dat zou slechts een tijdelijke oplossing zijn. Wat denk je ervan als ik mijn baan opzeg om huisman te worden?'

'Zou je dat werkelijk willen?'

'Ik speel al langer met die gedachte,' bekende hij. 'Je weet hoe ik erover denk, Pen. Kinderen hebben een veilige, stabiele thuisomgeving nodig en op dit moment hebben ze dat niet genoeg. We hebben het te druk, we leven langs elkaar heen en we doen veel te weinig leuke dingen met elkaar. Op sommige dagen doe ik voor mijn gevoel niets anders dan kinderen wegbrengen, werken en kinderen ophalen. 's Avonds is het haasten om te eten en ze op een behoorlijke tijd in bed te krijgen.'

'Zo gaat het in de meeste gezinnen,' merkte Penny op.

'Dat vind ik geen maatstaf. Het gaat om wat wij willen, niet om wat anderen doen. Ik wil meer rust creëren binnen ons gezin.'

'Maar je baan ervoor opgeven?' Ze beet op haar onderlip. 'Ik moet er niet aan denken.'

'Ik vraag het ook niet aan jou,' zei Huug op droge toon. 'Mijn ambities zijn niet zo hoog. Het gaat er ook niet om wie wat doet binnen een gezin, als de taken maar verdeeld worden. Persoonlijk heb ik er geen moeite mee om de hoofdverzorger te worden in plaats van de kostwinner.'

'Ik ben juist liever de kostwinner,' zei Penny meteen.

'Dan doen we het zo,' hakte hij de knoop door. 'Ik ben blij dat de kogel door de kerk is, ik loop hier al een tijdje mee rond.'

'Jij vindt het dus geen probleem om afhankelijk te worden van mijn inkomsten? Je weet wat de mensen zullen zeggen,' waarschuwde Penny hem. 'Dat je lui bent en profiteert van mijn geld, bijvoorbeeld.'

'Dat is nou werkelijk het laatste waar ik me druk over maak,' zei Huug. 'Het gaat om ons, om onze kinderen. De buitenwereld kan me gestolen worden. Ik geloof dat ongeveer twee procent van de gezinnen de taken zo verdeeld hebben, dus het is nog onontgonnen gebied, maar iemand moet ermee beginnen. De norm is vandaag de dag een man met een fulltimebaan en een vrouw die ongeveer twee dagen per week werkt en als je daarbuiten valt, op welke manier dan ook, dan word je scheef aangekeken. Dat is altijd zo geweest en zal ook altijd zo blijven. Mensen vergeten daarbij dat de norm die nu normaal is, twintig jaar geleden ook omstreden was. Datgene waar op dit moment de monden van openvallen, zal over twintig jaar volkomen geaccepteerd zijn, denk ik.'

'Een wereld vol huismannen terwijl de vrouwen het land besturen,' zei Penny dromerig.

'Zou het er beter op worden?' vroeg Huug met een klein lachje.

'Nou...' Ze schoot in de lach. 'Waarschijnlijk niet. Alleen in eerste instantie misschien. Vrouwen hebben een andere kijk en een andere inbreng omdat ze nieuw zijn in de wereld van topfunctionarissen, maar dat verandert vanzelf als er meer komen. Je merkt nu al dat vrouwen zich steeds meer als mannen gaan gedragen om zich te kunnen handhaven. Het verschil is alleen dat die vrouwen dan meteen als een haaibaai worden neergezet, terwijl mannen met dezelfde houding respect afdwingen.'

‘Conclusie: er is nog veel te doen,’ zei Huug. ‘Maar laten we niet te veel afdwalen en hier even samen de wereld verbeteren. Het gaat nu om ons eigen, kleine wereldje. Dus we doen het?’

‘Als jij het zelf wilt, vind ik het prima,’ stemde Penny in. ‘Je hebt ook wel gelijk, denk ik.’

‘Dan dien ik morgen mijn ontslag in,’ besloot Huug. Hij pakte zijn agenda en bladerde erin. ‘Ik heb natuurlijk wel een opzegtermijn. Even kijken, dat houdt in dat mijn laatste werkdag net niet voor de vakantie van de kinderen valt, maar als hun tweede week ingaat. Als jij dan die eerste week vrij kunt nemen, is dat ook opgelost.’

‘Die ene week kunnen ze wel gewoon naar de opvang,’ merkte Penny op. ‘Ook daar geldt een opzegtermijn, we kunnen ze er niet op stel en sprong af halen. Het kan wel, maar we moeten dan toch die maand nog betalen.’ Ze trok haar laptop weer naar zich toe en begon driftig te tikken.

Wat haar betrof was dit gespreksonderwerp afgehandeld, begreep Huug. Hij besloot er niets van te zeggen, al viel het hem tegen dat ze zich er zo gemakkelijk van afmaakte. Zelfs die ene week vrij nemen kon ze blijkbaar niet opbrengen. Maar had hij anders verwacht? Eigenlijk niet, moest hij zichzelf toegeven. Penny leefde nu eenmaal voor haar werk. Hij had dat altijd geweten, dus daar kon hij haar nu niet op afrekenen. En waarschijnlijk vonden Tessa en Julian het leuker om die week op de opvang door te brengen dan thuis bij hun moeder, die toch altijd met haar hoofd bij haar zaken zat, ook als ze thuis was.

Het besluit om met werken te stoppen had hij niet lichtzinnig genomen, hij liep er al weken over te piekeren. Het was niet zijn eerste keus geweest. Ook al miste hij de ambitie om de carrièreladder te bestijgen, hij had wel plezier in zijn baan en zou het missen. Het belang van hun kinderen ging echter voor. De rust die het zou opleveren als er voortdurend een ouder thuis was om de zaken op te vangen en te regelen, was veel waard. Dat hij in dit geval die ouder was en niet hun moeder, maakte niet uit. Hij hoopte dat het ook wat druk van Penny's schouders af zou halen en ze meer tijd met z'n allen konden gaan doorbrengen.

Hij schrok uit zijn gedachten op omdat ze hartgrondig begon te geeuwen.

'Wil jij Sarah zo haar laatste fles geven? Ik ben doodmoe,' zei ze.

'Mijn nieuwe functie als huisman is nog niet ingegaan, hoor,' plaagde Huug haar. Hij trok haar naar zich toe op de bank en gaf haar een zoen. 'Ga lekker je bed in. Je ziet bleek.'

'Mijn winterkleurtje.' Penny trok een grimas. 'We hebben een mooi voorjaar, maar ik heb er nog weinig van kunnen genieten. De zon is gaan schijnen op het moment dat ik weer fulltime aan het werk ging na Sarahs geboorte.'

Huug hield nog net op tijd de opmerking binnen dat ze helemaal geen vrij had genomen na de bevalling, zelfs niet toen ze uitgeteld op bed lag. Dat zou alleen maar weer een nieuwe ruzie opleveren en daar kreeg hij langzamerhand schoon genoeg van. Hij kon niets in die richting zeggen of Penny begon te steigeren, voor hem het bewijs dat ze wel degelijk veel te veel hooi op haar vork nam en langzamerhand overspannen dreigde te raken.

'Ga eens naar de zonnebank,' stelde hij voor. 'Gewoon lekker een kwartiertje liggen onder de nagebootste stralen. Even je hoofd leegmaken en genieten van de warmte. Ook al is het geen echte zon, het schijnt toch prettig te zijn.'

'Dat is eigenlijk helemaal geen slecht idee,' bedacht Penny. 'Er zit zo'n centrum vlak bij mijn werk. Misschien kan ik daar eens in mijn lunchpauze naartoe, of 's avonds op weg naar huis.'

De volgende dag dacht ze eraan toen ze langs de bewuste zonnestudio reed. Ze kon inderdaad wel een kleurtje op haar wangen gebruiken, want onder haar make-up zag ze akelig wit, had ze die ochtend in de spiegel geconstateerd. Toch duurde het nog een paar dagen voor ze daadwerkelijk naar binnen stapte. Vanwege twee nieuwe opdrachtgevers die ze binnen hadden weten te slepen, was het erg druk op de zaak. Penny was hele dagen bezig met besprekingen, het uitdenken van concepten en het bedenken van campagnes. Pas toen de grote lijnen van de te volgen strategie op papier stonden en door hun opdrachtgever waren goedgekeurd, gunde ze zichzelf de tijd om van wat namaakzon te genieten, zoals Huug had gezegd. Enigszins aarzelend liep ze naar binnen. Ze was nooit eerder in een dergelijke gelegenheid geweest en wist niet zeker of ze een afspraak had moeten maken.

Chantal, achter de balie, herkende haar onmiddellijk. Haar ogen lichtten op.

'Hé, wat leuk,' lachte ze. 'Hoe is het met je? Helemaal hersteld van de keizersnee?'

'Ken ik jou?' vroeg Penny onzeker. Meteen daarna begon het haar te dagen. 'O, wacht even. Ik heb van jou die bloemen gekregen op de dag van mijn bevalling. Wat toevallig. Werk je hier?'

'Al twee jaar,' zei Chantal. 'Jij komt hier zeker voor het eerst?'

'Klopt.' Penny wreef over haar wangen. 'Ik heb hoognodig een kleurtje nodig.'

'Het is natuurlijk niet goed voor de zaken dat ik dit zeg, maar heb je de laatste dagen al eens naar buiten gekeken? Nu regent het toevallig, maar we hebben al weken prachtig weer. Waar heb je je al die tijd verborgen gehouden?'

'In mijn kantoor,' antwoordde Penny met een grimas. 'Vandaag was ik toevallig eens vroeg klaar, maar met dit weer ga je ook niet op een terrasje zitten. Mijn wangen schreeuwen echter om wat zonlicht, al komt die dan van lampen af. Kan ik daar nu voor terecht of moet ik een afspraak maken?'

'Er zijn momenteel vrije banken genoeg. Een afspraak maken is niet direct noodzakelijk . Alleen in de winter moet je er rekening mee houden dat de banken vaak allemaal tegelijk bezet zijn,' zei Chantal terwijl ze een grote handdoek onder de balie vandaan pakte en aan Penny overhandigde. 'Loop maar mee.'

Ze wees haar de weg naar een kleine ruimte met een zonnebank erin en legde haar uit hoe het apparaat werkte.

'Je gebruikt geen medicijnen?' informeerde ze. 'Bij sommige geneesmiddelen wordt het gebruik van een zonnebank afgeraden.'

'Gelukkig niet, ik ben kerngezond.'

Dat zou je toch niet zeggen, dacht Chantal bij zichzelf. Ze hield die woorden nog net op tijd in. Met haar magere lichaam, ingevallen wangen en bleke gezicht zag Penny er eerder uit alsof ze net zwaar ziek was geweest. Het rood geverfde haar stak fel af tegen haar witte gezicht. Ze wees naar het belletje waar Penny op kon drukken in geval van nood en liet haar cliënte na de nodige instructies gegeven te hebben alleen in het kamertje achter.

Wat leuk om haar weer terug te zien, peinsde ze terwijl ze verderging met haar administratie. Sinds hun vreemde ontmoeting in het ziekenhuis had ze regelmatig aan haar gedacht. Ze waren ongeveer van dezelfde leeftijd en ze had zich vaak afgevraagd hoe het moest zijn om drie kinderen te hebben, zoals deze Penny. Gezien haar opmerking over haar kantoortijden leidde ze in ieder geval niet het leven van een zichzelf wegcijferende moeder, zoals Chantal eigenlijk zonder meer had aangenomen.

'Hoe is het met de baby?' vroeg ze als vervolg op haar gedachten zodra Penny terugkwam in de centrale ruimte. 'En met je andere kinderen natuurlijk,' voegde ze daar snel aan toe.

'Prima. Sarah groeit als kool. Tessa en Julian krijgen binnenkort vakantie, ze zijn allebei over naar de volgende groep,' vertelde Penny onbevangen. Ook zij vond het leuk om Chantal weer te ontmoeten. Haar spontane gebaar met de bloemen was ze nooit vergeten.

'Een drukke tijd,' merkte Chantal op.

'Valt wel mee. Voor mij tenminste.' Penny lachte. 'De eerste week van de vakantie zitten ze nog op de buitenschoolse opvang, daarna neemt mijn man de boel thuis over.'

'Goed afgericht,' prees Chantal. 'Wil je iets drinken? We hebben thee, koffie of frisdrank. Geen alcohol.'

'Koffie graag.' Penny nam plaats op een van de barkrukken. 'Gezellig. Heb je tijd om mee te doen of moet je aan de slag?'

'Het is stil, zoals je ziet. Met mooi weer genieten de mensen liever van de echte zon.'

Chantal schonk twee koppen koffie in en schoof er eentje naar Penny toe. 'Van het huis.'

'Dank je wel. Lekker. Die zonnebank ook, trouwens. Ik denk dat ik hier voortaan wel vaker kom. Ik kom hier toch dagelijks langs.'

'Je werkt in de buurt?' begreep Chantal.

'Reclamebureau Staalhorst en Van Ginderen, twee straten verder. Dat is van mij. Althans, gedeeltelijk. Het Staalhorstgedeelte. Van Ginderen is de naam van mijn zakelijke partner.'

'Je bent dus een echte carrièrevrouw.' Chantal schoot in de lach. 'Nadat ik je in het ziekenhuis had ontmoet, vroeg ik me af hoe het moet zijn om drie kinderen te hebben. Mijn conclusie was dat het niks voor mij is, omdat je dan niet meer aan een eigen leven toekomt. Maar voor jou gaat dat dus niet op.'

'O nee, daar moet ik niet aan denken!' riep Penny uit. 'Het feit dat je moeder wordt, betekent niet automatisch dat je je eigen persoonlijkheid kwijtraakt, vind ik.'

'Toch zal het wel druk zijn. Kinderen vragen een hoop aandacht.'

'Als je alles goed plant en regelt, valt dat wel mee. Mijn man Huug doet het meeste. Hij heeft nu zelfs zijn baan opgegeven om huisman te worden,' zei Penny trots.

'Dat heb je prima voor elkaar. Dergelijke mannen zijn nog steeds moeilijk te vinden, ondanks de feministische golf,' meende Chantal.

'Ik begrijp dat jij geen kinderen hebt?' vroeg Penny.

'Nee, ik ben ook niet getrouwd of samenwonend. Sinds kort heb ik een vriend.'

'O, dus het kan nog?'

'Trouwen en kinderen krijgen? Dat zit er niet in. Ik krijg het al benauwd bij de gedachte,' zei Chantal eerlijk. 'Nee hoor, laat mij maar lekker vrij zijn. Misschien dat ik in de toekomst ga samenwonen, maar voorlopig in ieder geval niet. Zoals het nu gaat, bevalt het me prima.'

'Latten dus.' Penny dronk haar koffie op. 'Ieder zijn meug. Persoonlijk vind ik het heerlijk om het heel druk te hebben. Mijn leven kan niet vol genoeg zijn.'

'Zodat je niet aan andere, vervelende dingen hoeft te denken?' merkte Chantal spits op.

Penny zoog haar toch al magere wangen naar binnen. Deze Chantal mocht dan een eenvoudige baan hebben, ze was zeker niet dom, dat bleek wel. Ze had haar vinger precies op de zere plek gelegd.

'Het wordt tijd dat ik naar huis ga,' zei Penny zonder op Chantals opmerking in te gaan. 'Huug zal zich wel afvragen waar ik blijf.'

'Ik heb hem destijds nog even gesproken,' herinnerde Chantal zich. 'Doe hem de groeten maar van me. Ik hoop dat je nog eens terugkomt, Penny. Het was gezellig om even te kletsen samen.'

'Vast,' beloofde Penny. 'Het was fijn je weer te zien.'

Ze namen hartelijk afscheid van elkaar. Staand voor het grote raam zwaaide Chantal Penny na. Vreemd hoe zoiets kon lopen, peinsde ze. Normaal gesproken voerde ze nooit persoonlijke gesprekken met haar klanten, maar die ene, korte ontmoeting in het ziekenhuis had ervoor gezorgd dat ze vandaag niet als vreemden tegenover elkaar hadden gestaan. Het had zelfs even gevoeld of ze een uit het oog verloren vriendin had teruggezien.

Ze schudde haar hoofd. Wat een onzinnige gedachte! Deze Penny was een wildvreemde voor haar en de kans was groot dat ze haar nooit meer zou zien, ondanks haar belofte om zeker eens terug te komen. Dat werd vaak zo makkelijk gezegd. Ze moest niet zo raar doen, gewoon aan het werk gaan en die hele Penny uit haar hoofd zetten.

HOOFDSTUK 7

Chantal was niet de enige die er zo over dacht. Ook Penny had zich op haar beurt wonderlijk op haar gemak gevoeld in Chantals gezelschap. Iets wat ze niet snel had bij vreemden. Ze was meer een type dat de kat uit de boom keek als ze iemand leerde kennen. Een gezellig praatje maken met een onbekende was niets voor haar, maar bij Chantal had ze niet het gevoel gehad dat die een vreemde was. Er was een klik tussen hen geweest. Ze zou zeker vaker naar die zonnestudio gaan, nam Penny zich voor. Trouwens, niet alleen vanwege Chantal. De weldadige warmte van de lampen en het kwartier volkomen nietsdoen hadden haar goedgedaan. Aan het eind was ze zelfs bijna in slaap gevallen, een teken dat ze volledig ontspannen was. 's Avonds in bed had ze daar vaak meer moeite mee. Dan zat haar hoofd vol met indrukken die ze tijdens de dag had opgedaan en was ze in gedachten al bezig met haar planning voor de dag erna. Het kostte haar dan ook regelmatig moeite om in slaap te komen, terwijl ze nu, na dat kwartiertje rust, het gevoel had of ze in dromenland zou belanden zodra ze haar ogen dichtdeed. Een heel prettig gevoel overigens. Ondanks het late uur, veel later dan gepland, kwam ze dan ook opgewekt thuis.

'Ik ben er!' riep ze vanuit de gang waar ze haar jas aan de kapstok hing en haar schoenen uittrok. 'Wat eten we? Ik heb een razende honger.'

'Dan had je eerder thuis moeten komen,' klonk een koele stem.

Niet de stem van Huug, registreerde Penny. Ze draaide zich om en keek naar de figuur die in de deuropening van de huiskamer stond. Haar zus Victoria.

'Wat doe jij nou hier?' vroeg ze. Het lukte haar niet om de verbazing uit haar stem te weren.

'Op jouw kinderen passen, zoals me vorige week gevraagd is,' was het niet al te vriendelijke antwoord. 'Daar hebben ze agenda's voor uitgevonden, weet je nog? Jij hoort trouwens helemaal niet thuis te zijn op dit moment. Huug dacht dat je vanuit je werk meteen door was gegaan. Hij heeft nog geprobeerd je te bellen, maar je was niet bereikbaar.'

Met een automatisch gebaar pakte Penny haar mobiel uit haar tas. Ze had hem uitgezet op het moment dat ze onder de zonnebank ging liggen en was daarna blijkbaar vergeten hem weer aan te zetten. Niets voor haar, ze was verslaafd aan dat apparaatje.

'Waar is Huug dan?' wilde ze weten.

'Naar school. Laatste ouderavond van dit jaar,' zei Victoria. 'Je kinderen liggen al in bed, voor het geval je daar belangstelling voor hebt.' Haar stem klonk ronduit sarcastisch.

Penny beet op haar lip. De ouderavond! Ze was die hele afspraak vergeten, hoewel Huug er die ochtend nog op had aangedrongen dat ze vooral op tijd thuis moest zijn. Hij zou woedend zijn, wist ze. Nou ja, jammer dan. Met een licht gebaar haalde ze haar schouders op. Hij kon dergelijke zaken prima alleen af. Tenslotte was het ook pure onzin dat ze samen moesten komen opdraven bij dit soort gesprekken met de groepsleerkrachten van hun kinderen. Julian was zeven en Tessa vijf, ze zaten respectievelijk in de groepen vier en twee. Je kon nog amper van echt leren spreken, zeker bij Tessa niet. Zo'n ramp was het dus niet dat ze het gemist had.

'Het was erg druk. We zijn bezig met de lancering van twee nieuwe campagnes,' voerde ze ter verdediging van zichzelf aan. 'Die ouderavond is me volledig door het hoofd geschoten.'

'Dat is geen nieuws,' mompelde Victoria. 'Enfin, nu jij er bent, kan ik wel weg.'

'Blijf nog even,' verzocht Penny impulsief. 'Dan drinken we samen iets en kunnen we een beetje bijkletsen. We hebben elkaar zo'n tijd niet gezien.'

'Dat ligt niet aan mij,' kon Victoria niet nalaten te zeggen. Desondanks liep ze toch de huiskamer weer in en nam ze plaats op de lage leren bank. Penny volgde haar met een fles wijn en twee glazen.

'Hoe gaat het met jou en Boudewijn?' vroeg ze.

'Goed. We zijn net terug van een vakantie in Denemarken.'

'Leuk geweest?'

'Ja. Het is een prachtig, schoon land en de mensen zijn over het algemeen erg hartelijk. Hebben jullie nog vakantieplannen?' informeerde Victoria.

'Voorlopig niet. Ik ben al zo'n tijd uit de roulatie geweest na de geboorte van Sarah. Ik ben pas weer sinds een paar weken fulltime aan de slag,' zei Penny enigszins afwerend. Ze verwachtte dat Victoria, net als Huug, iets negatiefs zou zeggen over de vele uren die ze aan haar reclamebureau spendeerde. Dat gebeurde echter niet. Haar zus nam een slok van haar wijn en begon daarna over hun ouders.

'Ma en pa zijn druk bezig met voorbereidingen voor een reis naar het zuiden van Europa. Ze willen na de schoolvakanties vertrekken, als de grote drukte achter de rug is in die landen. Ze hebben de smaak wel ineens te pakken. Hun vorige reis is amper achter de rug.'

'Ze zijn nu twee maanden terug,' knikte Penny. 'Sarah vertoonde net haar eerste lachje op de dag dat ze verlaat op kraamvisite kwamen.'

'Goede timing,' zei Victoria. Ze reageerde niet op het woordje 'verlaat', dat Penny expres had laten vallen. Het kwam blijkbaar geen moment in haar op dat het voor Penny niet prettig was geweest dat ze niet onmiddellijk haar pasgeboren dochtertje aan haar ouders had kunnen laten zien.

'Ze missen heel veel van hun kleinkinderen op deze manier,' zei Penny in een poging tot een vertrouwelijk gesprek.

Victoria dronk haar glas leeg en zette het op tafel. Tegelijkertijd stond ze op.

'Ze hebben groot gelijk dat ze het er lekker van nemen,' zei ze terwijl ze haar jas van een stoel pakte en aantrok. 'De tijd van zorgen voor kleine kinderen hebben ze gehad, het zou onzin zijn als ze nu thuis blijven hangen vanwege hun kleinkinderen. Ik ga ervandoor, dan hebben Boudewijn en ik tenminste ook nog iets aan onze avond.'

'Bedankt voor het oppassen,' zei Penny gemelijk.

Ze bleef met een katterig gevoel achter. Hoe had ze ook kunnen denken dat ze met haar zus haar gevoelens kon bespreken? Leerde ze het dan nooit? Ze had in haar hele leven nog geen vertrouwelijk gesprek met Victoria gevoerd, daar zou nu, op haar vierendertigste, echt geen verandering in komen. Victoria bezat geen sprankje inlevingsvermogen, ze bekeek alles van haar eigen, praktische, kant. Bij Lucas, haar broer, hoefde ze hier ook niet mee aan te komen, wist ze. De acht jaar leeftijdsverschil met hem had hun vroeger al belet met elkaar op te trekken en dat was met het volwassen worden niet veranderd. Ze zagen elkaar soms op familiebijeenkomsten, maar er was geen sprake van enig spontaan contact. Lucas was verplicht op kraambezoek gekomen na Sarahs geboorte, sindsdien had ze hem niet meer gezien of gesproken. Wat waarschijnlijk maar beter was ook. Ze deelden nu eenmaal niets samen, ondanks hun gezamenlijk doorgebrachte jeugd. Ook het contact met Victoria was minimaal. Penny had haar net spontaan gevraagd te blijven in een poging wat nader tot elkaar te komen, maar dat was dus vergeefse moeite geweest. Hun gesprek was geforceerd geweest en was alleen over koetjes en kalfjes gegaan. Een gesprek zoals ze met iedere willekeurige vreemde had kunnen voeren.

Haar honger was verdwenen. Penny schonk zichzelf nog een glas wijn in, dat ze vervuld van zelfmedelijden opdronk. Ze had verdorie met die Chantal tijdens één praatje meer contact gehad dan met haar zus. Nou ja, zus... Officieel stond Victoria als zodanig te boek, maar er was geen enkele bloedverwantschap tussen hen. Dat bleek overigens steeds opnieuw. Niet alleen uiterlijk, maar ook qua karakter verschilden ze hemelsbreed van elkaar. Als ze niet toevallig in hetzelfde gezin waren opgegroeid, zouden ze elkaar waarschijnlijk geen blik waardig keuren als ze op hetzelfde feestje verschenen. Met Chantal was dat anders. Met haar had ze meteen een klik gevoeld, al op het moment dat ze onverwachts per ongeluk aan haar bed was verschenen. Penny wist vrijwel zeker dat ze met Chantal wél het gesprek had kunnen voeren dat Victoria die avond snel had afgekapt met een nietszeggende opmerking. Chantal had waarschijnlijk meer gevoel en begrip in haar pink dan Victoria in haar hele lijf. Niet voor niets had ze haar gevraagd of ze het soms zo druk wilde hebben om niet aan vervelende dingen te denken. Dat had ze heel snel doorgehad.

Zoals zo vaak vroeg Penny zich af hoe haar eigen biologische familieleden zouden zijn. Zou ze met hen wel de band voelen die ze miste bij Victoria en Lucas, of lag het daar helemaal niet aan? Misschien moest ze toch eens naar hen op zoek gaan om dat uit te vinden. Ze had vaker met die gedachte gespeeld, maar het steeds weer op de lange baan geschoven. Ergens moest toch familie van haar rondlopen, ook al had ze geen echte broers of zussen en leefden haar eigen ouders niet meer. Ze kon zich niet voorstellen dat ze wat dat betrof echt moederziel alleen op de wereld stond. Haar ouders waren ook allebei enig kind geweest, volgens de verhalen, maar ze moesten toch op zijn minst wel neven of nichten gehad hebben.

Weer nam Penny een glas wijn terwijl ze daar haar gedachten over liet gaan. Golden neven en nichten van ouders eigenlijk wel als echte familie? Hoeveel procent van hun bloed deelden ze dan? En wilde ze hen eigenlijk wel echt opsporen? Nu kon ze tenminste nog de illusie in stand houden dat contact met eigen familie veel beter zou verlopen. Stel je voor dat dat niet zo was, dan was er dus ook geen enkel excuus voor de slechte band met haar adoptiezus en -broer en het weinige, soms zelfs bijna onverschillige contact met haar ouders.

In de roes van de alcohol werden haar gedachten steeds vager, tot ze in elkaar over begonnen te lopen. Suf staarde ze voor zich uit, ze hoorde niet eens dat de buitendeur werd geopend.

'O, je hebt dus toch maar besloten om nog een keer thuis te komen?' klonk plotseling Huugs sarcastische stem.

Penny schoot overeind, het kostte haar moeite om zich te realiseren waar ze was en waarom Huug zo boos klonk.

'Mijn mobiel stond uit,' herinnerde ze zich toen weer. Het was het eerste wat in haar opkwam.

'Natuurlijk. Dat ding staat nooit uit omdat je altijd bereikbaar wilt zijn voor je klanten, maar als je moet opdraven bij iets waar je geen zin in hebt, weet je ineens wel het uitknopje te vinden,' spotte hij.

'Je denkt toch niet dat ik hem expres heb uitgezet om jouw telefoontjes te ontlopen?' vroeg ze verontwaardigd.

'Heb ik redenen om dat niet te denken?' beantwoordde hij dat met een tegenvraag. 'Kom op, Pen, je zet je mobiel nooit uit. Ik heb je zeker vijf keer gebeld.'

'Ik was naar die zonnestudio gegaan. Iets wat jij me overigens zelf had aangeraden.'

'Niet om als smoes te gebruiken om je verantwoordelijkheden thuis te ontlopen,' sneerde hij.

'Niet zo overdrijven. We hebben het hier over een ouderavond van kinderen van zeven en vijf jaar. Geen gesprekken waar hun toekomst nu direct van afhangt. Wat heb je te horen gekregen? Dat Julian snel afgeleid is tijdens de lessen en dat Tessa te veel praat?' zei Penny nonchalant.

'Daar gaat het niet om,' weerlegde Huug scherp. 'Door die gesprekken met hun leerkrachten te bagatelliseren kun je je eigen gedrag niet goedpraten. Je zou meegaan. We hebben het er vanochtend nog over gehad en je beloofde op tijd thuis te zijn.'

'Ik ben het vergeten,' gaf Penny toe. 'Sorry hoor, maar zo'n drama is dat nu ook weer niet.'

'Daar denken we dan duidelijk verschillend over,' viel Huug haar in de rede.

Penny trok haar wenkbrauwen hoog op. 'Stel je niet zo aan,' zei ze kalm. 'Het is maar een ouderavond, hoor.'

'Nee, het is een belofte aan mij die je niet nakomt,' verbeterde Huug haar. 'En aan je kinderen, niet te vergeten. Die komen er op een gegeven moment ook achter dat mama hen niet belangrijk genoeg vindt om plaats in haar agenda voor te maken. We hebben het hier al zo vaak over gehad. Waarom dringt het niet tot je door? Waarom blijf je maar rennen voor je bedrijf en maak je je gezin daar ondergeschikt aan?'

'Dit had niets met werk te maken,' verdedigde Penny zichzelf. 'Ik was naar die zonnestudio gegaan en heb een kwartiertje onder de zonnebank gelegen. Daar heb ik die Chantal weer ontmoet. Van de bloemen op de dag van Sarahs geboorte,' verduidelijkte ze bij het zien van Huugs vragende gezicht. 'We hebben samen iets gedronken en gezellig zitten praten, daarbij ben ik de tijd vergeten. Dat kan iedereen gebeuren. Deze keer kun je mijn werk daar niet de schuld van geven.' Dat laatste wierp ze hem bijna triomfantelijk voor de voeten.

'Ik geef jouw werk nooit de schuld, ik geef jou de schuld,' repliceerde hij. 'Je was trouwens de tijd niet vergeten, je was onze afspraak vergeten en welke reden je daar ook voor hebt, dat klopt niet.'

Penny boog voorover om de fles te pakken, zodat ze zichzelf nog een keer in kon schenken, een gebaar waardoor ze bijna voorover van de bank viel. De wending die het gesprek nam, beviel haar helemaal niet. Huug maakte altijd zo'n misbaar. Alsof hij zelf nooit iets vergat, dacht ze onredelijk. Met moeite schonk ze haar glas nog eens vol, de wijn gutste daarbij over de rand.

'Jij ook?' vroeg ze.

Huug schudde zijn hoofd. 'Nee, dank je. Jij zou ook niet meer moeten nemen.'

'O, krijgen we nu dat weer?' Ze lachte spottend. 'Ben je klaar met je standje over de ouderavond en ga je je nu richten op mijn drinkgedrag? Is er eigenlijk iets wat ik in jouw ogen wel goed doe?'

'Je bent een uitstekende kostwinner,' antwoordde hij ironisch. 'Alleen jammer dat je niet beseft dat geld verdienen niet het belangrijkste in het leven is.'

'Iemand zal het gezin toch moeten onderhouden. Wij hebben van plaats geruild, Huug, ik heb dus eigenlijk de vaderrol op me genomen. Zeg eens eerlijk: hoeveel vaders waren er vanavond aanwezig op school?'

'De vaders die er niet waren, zaten waarschijnlijk thuis bij hun kinderen, zodat de moeders geen oppas hoefden te regelen.'

'Nee, nee. Die waren nog aan het werk. Buffelen voor vrouw en kindertjes, zodat die niets tekortkomen.' Penny zwaaide triomfantelijk met haar vinger voor zijn gezicht heen en weer. 'En allemaal hebben ze vrouwen thuis die daar niet over zeuren, maar die respect tonen voor het feit dat hij zo hard werkt. Neem daar eens een voorbeeld aan.' Kakelend lachend om haar eigen grapje rolde ze tegen hem aan.

'Je bent dronken,' zei Huug walgend terwijl hij haar van zich af duwde. 'Ga alsjeblieft je bed in, er valt geen redelijk gesprek met je te voeren op dit moment.'

Penny lag achterover in de kussens van de bank. Afwezig streek ze over haar maag.

'Ik ben niet dronken, ik ben leeg.'

'Krijgen we dat gezeur weer,' zei hij geërgerd. 'Daar heb je het steeds over, maar je zou eens moeten onderzoeken waar dat vandaan komt, in plaats van je leven vol te proppen met werk, werk en nog eens werk. Je hebt verdorie drie prachtige kinderen, misschien zou je je minder leeg voelen als je daar eens wat meer aandacht aan schenkt.'

'Dat bedoel ik niet. Ik ben letterlijk leeg. Ik heb nog niet gegeten,' legde ze uit.

'Dat is je eigen schuld,' zei Huug kortaf. 'Dan had je maar op de afgesproken tijd thuis moeten zijn, zoals ieder normaal mens. Dan had je met je gezin mee kunnen eten.'

'Heb je geen bordje apart gehouden voor me? Andere vrouwen doen dat voor hun man,' plaagde Penny hem giechelend.

Huug stond abrupt op. Hij had er schoon genoeg van.

'Als je wilt eten, zul je daar zelf voor moeten zorgen,' beet hij haar toe. 'Ik zal Sarah haar laatste fles geven, want dat durf ik jou niet toe te vertrouwen in de staat waarin jij verkeert. Mocht je hier op de bank in slaap vallen, hou er dan rekening mee dat ik je niet wakker maak om naar bed te komen.'

'Weinig zorgzaam huisvrouwtje ben je, hoor,' riep Penny hem nog na voordat hij woedend de kamer uit beende.

Ze moest er zo hard om lachen dat ze bijna van de bank afrolde. Nog net op tijd kon ze zich vastgrijpen aan de leuning. Oeps, ze was inderdaad niet helemaal helder meer. Ze overwoog om naar de keuken te gaan om iets te eten klaar te maken voor zichzelf, maar verwierp dat plan meteen weer. Opstaan en lopen leek haar op dat moment een onmogelijke opgave toe. In plaats daarvan nam ze nog maar een glas wijn. Alcohol vulde ook. Boven haar hoofd hoorde ze Huug stommelen. Een kamerdeur ging open en weer dicht, er klonken voetstappen op de trap en even later hoorde ze het piepende geluid van de magnetron. Ze hoopte dat Huug Sarah in de kamer de fles zou geven, maar kort daarop hoorde ze zijn voetstappen opnieuw, nu op weg naar boven. Haar ogen vulden zich met tranen. Ze had haar jongste dochter sinds gisteravond niet meer gezien, want vanmorgen had ze nog geslapen toen zij de deur uit ging. Huug had gelijk, ze was een slechte moeder. Waarom had ze niet genoeg aan haar man en haar kinderen? Waarom rende ze door het leven heen, als een dwaas voortdurend op jacht naar iets wat ze niet eens kon benoemen? Voller dan nu kon haar leven niet meer worden, toch had ze nog steeds niet gevonden wat ze zocht. De leegte in haar hart leek nergens door opgevuld te kunnen worden. Wist ze maar wat er in haar leven ontbrak. Het was zo ongrijpbaar. Op sommige momenten had ze het gevoel dat ze moest weten wat ze miste, als ze maar diep en lang genoeg nadacht. Zoals een naam die op het puntje van je tong lag, maar waar je niet op kon komen.

Het duurde lang voor Penny zichzelf zo ver bij elkaar had geraapt dat ze in staat was om op te staan en naar boven te lopen. Ze moest zichzelf stevig aan de trapleuning vasthouden om niet te vallen. Boven was alles donker, Huug lag al in bed. Penny probeerde zich in het donker uit te kleden om hem niet te wekken. Daarbij stootte ze echter zo hard haar voet tegen de kast dat ze een krachtterm niet kon onderdrukken.

'Wat doe je?' klonk het vanuit het bed.

'Niets.' Op de tast kroop ze naast hem. 'Het spijt me, Huug.'

'Dat heb ik vaker gehoord.'

'Maar ik meen het. Als het je genoegdoening geeft, ik heb een rotavond gehad. Victoria was weer zo afstandelijk. Ze...'

'Hou op,' zei hij hard. 'Die smoesjes en dat zelfbeklag ben ik meer dan zat. Neem je verantwoordelijkheid en zeur niet over anderen. Die slechte verstandhouding tussen jullie ligt niet alleen aan haar. Wanneer heb jij voor het laatst oprecht belangstelling voor haar getoond? Je kunt niet alles afschuiven op je familie, Penny. Victoria heeft trouwens niets te maken met het feit dat jij je afspraken niet bent nagekomen. Klagen over haar verdoezelt je eigen gedrag niet.'

'Maar ik wil...'

'Ik hoef het niet te horen,' onderbrak hij haar voor de tweede keer. In het donker draaide hij zich om op zijn zij, met zijn rug naar haar toe. Ze voelde bijna lijfelijk de afweer die van zijn rug afstraalde.

Zonder dat ze het tegen kon houden rolden de tranen over Penny's wangen. Als Huug zich ook van haar afkeerde, werd die lege plek helemaal een diep, zwart, bodemloos gat.

HOOFDSTUK 8

Chantal schrok op bij het horen van de voordeurbel. Onwillekeurig wierp ze een blik op haar horloge. Kwart over tien 's avonds, wie kwam er op dat tijdstip nog aan de deur? Veiligheidshalve keek ze eerst door het ronde gaatje in de verder massieve deur van haar flatje. Het vrolijk lachende gezicht van Guido staarde haar vervormd aan.

'Guido?' zei ze verbaasd. Ze trok de knip los en draaide het nachtslot eraf.

'Fort Knox,' grinnikte hij terwijl hij langs haar heen naar binnen stapte. 'Je hebt jezelf goed beschermd.'

'Dat moet ook wel met gekken die 's nachts aanbellen,' kaatste Chantal terug.

'Tien over tien. De avond is nog maar net begonnen, liefste. Kom, we gaan naar het strand.'

Zogenaamd bezorgd voelde Chantal even aan zijn voorhoofd. 'Gaat het wel helemaal goed met jou? Ik stond op het punt mijn bed in te gaan.'

'Zonde van zo'n mooie avond.' Hij schudde zijn hoofd. 'Het is bloedheet geweest vandaag, het begint nu net lekker te worden buiten. Dan ga je toch niet in een warm bed liggen? We gaan lekker afkoelen. Ik heb een koelbox met koude drankjes en hapjes bij me.'

Heel even twijfelde Chantal nog. De dag erna startte haar werkdag om acht uur en ze wist uit ervaring dat ze slecht tegen te weinig slaap kon. Aan de andere kant had Guido natuurlijk wel gelijk; het was nu heerlijk zwoel buiten. Zo'n avond waarvan er maar een paar voorkomen in een zomer. Als ze nu naar bed ging, zou ze waarschijnlijk de halve nacht liggen woelen omdat ze toch niet in slaap kon komen vanwege de drukkende warmte in haar kleine flat.

'Oké, even iets anders aandoen,' zei ze, wijzend op het katoenen shirt dat ze 's nachts bij wijze van nachtjapon droeg.

'Voor mij hoeft dat niet.' Guido wierp een onbeschaamde en begerige blik op haar blote benen.

'Daar is het veel te warm voor,' sprak ze bestraffend. Snel schoot ze in een luchtige zomerbroek en een shirtje, met een paar teenslippers eronder. Ze zette haar donkere haren nonchalant vast met een elastiekje. Binnen een paar minuten was ze terug in de huiskamer.

'Klaar om te gaan,' meldde ze.

'Jij bent een vrouw naar mijn hart,' prees Guido. 'Je zeurt niet, je bent spontaan en bovendien ben je razendsnel omgekleed. Van mijn vrienden hoor ik heel andere verhalen als ze over hun vrouwen praten.'

'Ik ben uniek,' zei Chantal met zelfkennis.

'Dat ben ik volkomen met je eens,' ging Guido daar ernstig op in. Hij ving haar in zijn armen en zoende haar. 'En van mij. Ik ben een geluksvogel.'

'Hoho, niet te hard van stapel lopen,' weerde ze hem lachend af. Ze gaf hem speels een tikje op zijn hand, die haar taille omvatte. 'Ik ben nog altijd van mezelf.'

'Een beetje van mij dan.'

Met zijn arm om haar heen leidde hij haar naar zijn auto. Chantal zag een enorme picknickmand op de achterbank staan. Nieuwsgierig vroeg ze zich af wat hij allemaal bij zich had, maar ze vroeg er niet naar. Het was weleens leuk om zich te laten verrassen. Ze begon steeds meer plezier te krijgen in dit spontane uitstapje. Met een beslist gebaar deed ze haar horloge af, waarna ze het sieraad in de zak van haar broek liet glijden. Tijd gold even niet, besloot ze. Ze wilde niet op een gegeven ogenblik op haar horloge kijken om vervolgens te schrikken bij het zien hoe laat het was.

Het was inderdaad heerlijk buiten, zoals Guido al voorspeld had. De temperatuur lag nog steeds boven de twintig graden en het windje dat van zee afkwam voelde warm aan. Aan de rand van de duinen spreidde Guido een groot geblokt kleed uit over het zand. Terwijl

Chantal ging zitten en toekeek, pakte hij de mand uit. Ze zag bordjes, servetjes, glazen, diverse flessen en een paar schalen waar volgens Guido allemaal heerlijkheden in zaten.

'Heb je dat zelf klaargemaakt?' vroeg ze toen ze nieuwsgierig onder een deksel keek en wraps met sla en zalm zag liggen.

'Helemaal zelf gekocht,' zei hij met een trots gezicht. 'Ik heb ook koude beenham met een lekkere mosterdsaus, stokbrood met kruidenboter en kaasjes en een salade.'

'Heerlijk,' genoot Chantal. Ze schopte haar slippers uit en nam een slok van de ijskoude bitter lemon. Guido kwam toch wel heel dicht bij een tien, dacht ze met een glimlach bij zichzelf. Welke man deed zoiets? Zij had het tenminste nog nooit meegemaakt.

Er waren meer mensen op het idee gekomen om aan zee van de warme avond te genieten. Het waren veelal stelletjes die hen voorbijliepen. Sommigen wierpen jaloerse blikken op het kleed en alles wat erop uitgestald lag.

'Wat een bijzondere avond,' zei Chantal. Ze leunde na het eten verzadigd achterover op haar ellebogen.

'Jij bent dan ook een bijzondere vrouw,' zei Guido ernstig. Hij schoof de schalen opzij en kwam naast haar liggen. Op zijn zij, met één elleboog op het kleed en zijn hoofd geleund in zijn hand, keek hij haar van heel dichtbij aan. 'Ik meen het, Chantal, maak niet meteen zo'n gebaar alsof ik maar wat in de ruimte klets.' Heel zacht streelde hij met zijn vrije hand haar buik, zodat haar lichaam op een plezierige manier begon te tintelen. 'Ik ben dolblij dat ik die dag de moed opbracht om anderhalf uur naar het geklaag van mijn collega te luisteren. Dat heeft me iets heel moois gebracht. Ik had helemaal geen slecht leven, maar ik weet nu pas hoe het ook kan. Jij hebt me compleet gemaakt.'

Chantal bloosde tot achter haar oren. Dit klonk zo lief, zo intens en zo gemeend. Vorige vrienden hadden haar ook weleens verteld dat ze van haar hielden, maar nooit op zo'n manier. Dit was een liefdesverklaring die zich veel verder uitstrekte dan de obligate woorden 'ik hou van je'. Het werd haar warm om het hart.

'Wat fijn om te horen,' zei ze zacht.

'Ik meen er iedere letter van. Nooit eerder heb ik een vrouw als jij ontmoet. Ik prijs mezelf gelukkig dat ik jou de mijne mag noemen.' Hij kwam iets overeind, zodat hij met zijn bovenlichaam half over haar heen lag. Zijn gezicht bevond zich vlak boven het hare. Chantal draaide haar hoofd voorzichtig iets opzij. Hoe lief zijn woorden ook waren en hoe gelukkig ze ook met hem was, ze kreeg het een beetje benauwd van die laatste opmerking. Een paar uur geleden had hij ook al zoiets gezegd. Toen had ze het afgedaan met een plagerijtje, maar daar was de sfeer nu niet naar. Ze wist niet goed wat ze erop terug moest zeggen. Daar hoefde ze overigens ook niet over na te denken, want Guido's lippen belandden op de hare en beletten haar zo om te praten. Eerst aarzelend, maar daarna steeds heftiger, beantwoordde ze zijn kus. De negatieve gedachten die ze heel even had gehad, verdwenen razendsnel naar de achtergrond. Vol overgave sloeg ze haar armen om zijn hals, hem zo nog dichter naar zich toe trekkend. Denken deed ze later wel weer eens, het enige wat op dit moment telde, was het hier en nu. Zijn hand glipte onder haar shirt en ze giechelde.

'We liggen op het strand, in de openlucht.'

'Er is niemand meer,' zei Guido, om zich heen kijkend. 'Het is net of we alleen op de wereld zijn, jij en ik.'

'Een heerlijk gevoel,' moest Chantal toegeven.

Zijn liefkozingen werden steeds intenser. Chantal sloot haar ogen en gaf zich er volledig aan over. Dit was zo volmaakt, zo uniek. Kon het altijd maar zo zijn. Elkaar gewoon liefhebben, zonder verplichtingen, zonder beloften, zonder knellende banden die haar steeds afschrikten.

Het duurde lang voor ze weer aan praten toekwamen. Het was inmiddels volkomen donker geworden. Het zachte ruisen van de zee vormde het enige geluid in de omgeving. Hoewel Guido vlak bij haar was, kon ze alleen zijn contouren maar onderscheiden.

'Ik hou van je,' fluisterde hij. 'Ik laat je nooit meer gaan.'

Chantal bleef stil liggen. Haar hart zei precies hetzelfde, maar het lukte haar niet om die woorden uit haar mond te krijgen. Het was of iets haar tegenhield. Woorden die ze nog nooit had kunnen uitspreken, kwamen nu ook niet, hoe graag ze het ook wilde. Guido betekende alles voor haar, waarom kon ze daar niet gewoon voor uitkomen? Zeggen wat er in haar leefde, beloften voor de toekomst maken?

Hij richtte zijn gezicht iets op. Hun ogen bevonden zich nu op slechts enkele centimeters van elkaar. Ondanks het donker kon ze zijn blik niet ontwijken.

'Je zegt niets.'

'Ik weet niet wat ik moet zeggen.'

'Je zou "ik hou ook van jou" kunnen proberen,' zei hij luchtig.

'Ik denk dat je dat wel weet.'

'Het zou prettig zijn om het uit jouw mond te horen.'

Weer bleef het een tijdje stil.

'Dat vind ik moeilijk,' bekende Chantal toen. 'Ik heb het nog nooit tegen iemand gezegd, ook al heb ik het weleens gevoeld. Maar ervoor uitkomen is iets anders. Dan leg je jezelf vast. Vanavond zei je ook al zoiets, dat ik van jou ben. Dat vind ik eng, daar krijg ik het benauwd van. Ik wil niet vastzitten aan iemand anders, zelfs niet aan jou.'

'Waar komt die angst vandaan?' wilde Guido weten. Hij maakte geen aanstalten om zich van haar af te keren. Zijn arm omklemde haar nog net zo stevig als eerst, zijn wang legde hij tegen de hare aan. Chantal was daar blij om. Ze had half en half verwacht dat hij gepikeerd op zou staan, beledigd omdat zijn liefdesverklaring niet spontaan werd beantwoord. Dat had ze vaker meegemaakt. Er waren maar weinig mannen die begrip hadden voor haar angsten en onzekerheden. Guido leek er echter een van te zijn.

'Wist ik dat maar.' Ze zuchtte. 'Misschien is er wel helemaal geen reden voor en zit het gewoon in mijn karakter. Niet iedere vrouw is alleen maar bezig met de vraag hoe ze zo snel mogelijk aan een echtgenoot moet komen.'

'Dat is wel weer het andere uiterste.'

'Wij hebben het hartstikke fijn samen. Kan dat niet gewoon zo blijven? Ik ben graag bij je, je maakt dat ik me goed voel. Is dat niet genoeg?' vroeg Chantal.

'Voor dit moment ben ik daar tevreden mee.' Opnieuw kuste Guido haar en Chantal nestelde zich zo mogelijk nog steviger tegen hem aan. 'Samenwonen zit er dus niet in?' informeerde hij met een klein lachje.

'Ik moet er niet aan denken.' Ondanks de nog steeds warme temperatuur rilde ze. 'Dat is helemaal niets voor mij.'

'Zo'n slecht voorbeeld heb je toch niet gehad,' peinsde Guido. 'Je ouders zijn altijd samen gebleven en naar jouw verhalen te oordelen was het zeker geen slecht huwelijk van twee mensen die tot elkaar veroordeeld waren. Dan vraag ik me toch af waar die aversie voor een vaste verbintenis vandaan komt.'

'Misschien onbewust toch door het verhaal van mijn biologische ouders.' Chantal trok met haar schouders. 'Ik weet het niet. Het heeft ook weinig zin om me daarin te verdiepen. Ik ben zoals ik ben, dat zul je moeten accepteren.'

‘Je kunt me niet beletten te hopen dat er ooit verandering in komt. Ik denk dat je er vanzelf naartoe groeit als we wat langer samen zijn,’ sprak Guido vol vertrouwen.

‘Dat hebben meer mannen vóór jou gedacht.’

‘Maar die hielden vast niet van je zoals ik van je hou. En jij niet van hen. Wat wij samen hebben is heel speciaal, Chantal. Dat weet jij ook.’

‘Jij bent wel de eerste man bij wie ik volkomen mezelf durf te zijn,’ gaf ze toe.

‘Wedden dat ik ook de eerste – en enige – man ben met wie jij straks de volgende stap durft te zetten? Laten we nu niet te hard van stapel lopen en het de tijd geven, dan komt het vanzelf goed.’

‘En met ‘goed’ bedoel jij dus samenwonen of trouwen?’ begreep Chantal. ‘Dat klinkt toch alsof je me niet serieus neemt en mijn mening niet respecteert. ‘Goed’ vind ik zoals het nu gaat. Ieder zijn eigen woonruimte en samen zijn als we daar behoefte aan hebben.’

‘Voor nu, inderdaad, net wat je zegt. Wellicht heb je gelijk en kom jij nooit aan de volgende stap toe, maar dat kun je niet op voorhand zeggen. Mensen en situaties ontwikkelen zich, daar zit voortdurend beweging in. Over pakweg een jaar wil je misschien niets liever dan samen met mij in één huis wonen en een paar kinderen op de wereld zetten,’ beweerde Guido.

‘Kinderen? Dat zeker niet! Zet dat maar rustig helemaal uit je hoofd,’ riep Chantal meteen.

‘Nou klinkt samenwonen ineens helemaal zo erg niet meer, hè, in die context?’ grinnikte hij.

‘Hoelang ben jij bereid te wachten als je ontdekt dat ik nooit met een man wil samenleven?’ informeerde Chantal zonder op zijn plagerijtje in te gaan.

‘Ik hou van je, als jij gelukkiger bent op deze manier, dan doen we het op deze manier,’ antwoordde hij nu ernstig. ‘Alleen ben ik er niet van overtuigd dat het zo blijft. Geen mens kan in de toekomst kijken. Wat je nu leuk vindt, verafschuw je over twee jaar misschien. Andersom geldt dat ook.'

'Daar zit wat in,' gaf Chantal toe. Diep in haar hart dacht ze er heel anders over. Ze was niet van plan om ooit haar huis met een ander te delen, daarvoor had ze haar vrijheid veel te lief. Guido gelijk geven was echter simpeler dan blijven roepen dat ze het niet wilde. Hij nam dat nu eenmaal niet van haar aan, dus kwam hij er vanzelf wel achter na verloop van tijd. De kans was aanwezig dat hij dan alsnog een eind aan hun relatie zou maken, maar dat vond ze geen reden om van haar eigen mening af te wijken. Hoeveel ze ook om hem gaf, ze zou zichzelf nooit verloochenen vanwege een man.

Ondanks slechts een paar uur slaap voelde Chantal zich de dag erna wonderlijk fris en energiek. Een gevoel dat niet met haar spiegelbeeld overeenkwam, constateerde ze. Hoewel haar ogen glansden, zaten er dikke wallen onder. Het was aan haar altijd onmiddellijk te zien als ze te weinig slaap had gehad. Nou ja, dat moest dan maar. Ze was nooit zo gericht op haar uiterlijk, op dit moment was dat wel het laatste waar ze zich druk over kon maken. Hoe ze zich voelde was belangrijker, en daar mankeerde niets aan.

Opgewekt ging ze dan ook aan het werk.

'Zo te zien heb jij behoorlijk doorgehaald,' begroette Tina haar.

'Weinig geslapen,' was Chantals summiere antwoord. Ze kon goed met Tina opschieten, maar was niet van plan haar privéleven met haar te bespreken. Dat deel hield ze voor zichzelf, ze liet nooit snel het achterste van haar tong zien. Neuriënd toog ze aan de slag, haar gedachten vertoefden nog steeds bij afgelopen nacht. Het waren zulke bijzondere uren geweest, daar aan dat stille, donkere strand. Met Guido was haar leven in één klap een stuk leuker en lichter geworden. Hij was onverwachts haar bestaan binnengerold en ze kon zich nu al niet meer voorstellen hoe het zonder hem zou zijn.

Vanwege het mooie weer buiten kwamen er weinig klanten, dus hadden Tina en zij tijd om de studio eens grondig schoon te maken en de achterstallige administratie bij te werken. In drukke perioden schoot dat er nogal eens bij in. Net voor haar lunchpauze werd de deur toch nog geopend en kwam Penny binnen. Chantal begroette haar verrast.

'Ik had je niet verwacht met dit mooie weer.'

'De terrasjes zitten nu overvol, daar kom je niet echt tot rust. Ik vond het vorige keer juist zo lekker om me even een kwartiertje helemaal af te sluiten van alles,' vertelde Penny. Ze zei er niet bij dat ze tevens gehoopt had Chantal weer te treffen. Hun korte gesprekje van vorige keer was niet uit haar gedachten verdwenen. Ze voelde een klik met haar, iets wat haar nog nooit overkomen was. Zelfs bij haar eigen familie voelde ze zich niet zo op haar gemak als bij deze Chantal. 'Jij ziet er trouwens uit alsof je ook wel wat rust kunt gebruiken.'

Chantal wreef over haar ogen. 'Dat valt wel mee, ik heb alleen ogen die onmiddellijk opzwellen als ik niet minstens zeven uur slaap haal op een nacht.'

'Dat is je afgelopen nacht dan duidelijk niet gelukt.'

Chantal boog zich iets voorover over de balie. Wat ze daarnet bij Tina angstvallig voor zich had gehouden, flapte ze er nu wel uit.

'Mijn vriend stond gisteravond laat voor mijn deur om me te ontvoeren voor een donkere picknick op het strand. Ik was pas tegen de ochtend weer thuis.'

'O, wat heerlijk romantisch,' genoot Penny.

Chantal knikte stralend. 'Dat was het zeker. Nadat de zon was onder gegaan, werd het heel stil. Een beetje surrealistisch zelfs.'

'Alsof jullie de enige personen op aarde waren,' begreep Penny. 'Hij klinkt als een heel leuke man. Eentje die je moet zien te houden.'

'Hij wil graag met me samenwonen,' bekende Chantal. Toen richtte ze zich op en schudde ze haar hoofd. 'Sorry, dat zijn zaken die jou natuurlijk helemaal niet interesseren. Jij komt hier voor een zonnebanksessie, niet voor een kletspartijtje.'

'Nee, vertel verder,' drong Penny aan terwijl ze plaatsnam op een hoge barkruk. 'Dan neem ik eerst een kop koffie. Heb je tijd om er eentje met me mee te drinken?'

'Ik heb lunchpauze, dus dat is geen probleem. Maar weet je het zeker? Je hebt het hartstikke druk, begreep ik vorige keer van je.'

'Des te meer redenen om er een halfuurtje tussenuit te breken en te ontspannen,' grinnikte Penny. Ze kon een licht schuldgevoel bij deze opmerking niet onderdrukken. Als Huug haar zo eens kon horen! Hun ruzies gingen voornamelijk over het feit dat ze zich nooit ontspande en nergens de tijd voor nam. Ze kon dan ook zelf niet verklaren waarom ze dat nu wel deed.

Op haar beurt begreep Chantal niet waarom ze Penny wel over haar nacht met Guido vertelde en Tina, met wie ze al een jaar samenwerkte en die ze graag mocht, niet.

Beide vrouwen wilden zich echter niet in die vraagstukken verdiepen. Naast elkaar zittend op hoge krukken aan de counter, met hun hoofden iets naar elkaar toe gebogen, praatten ze als oude, vertrouwde vriendinnen met elkaar.

HOOFDSTUK 9

Chantals lunchpauze liep die dag fors uit, maar als het druk was schoot hij er regelmatig bij in zonder dat ze daarover zeurde, dus maakte ze zich hier ook niet druk om. Er was toch heel weinig te doen en Tina had al aangegeven dat ze lekker nog even moest blijven zitten.

'Hij klinkt wel als de ideale man,' zei Penny na Chantals verhaal.

'Dicht bij een tien,' knikte Chantal. 'Veel perfecter worden ze niet meer gemaakt tegenwoordig.' Ze schoten samen in de lach.

'Maar als jij echt niet wilt trouwen of samenwonen, moet je bij dat standpunt blijven. Hij houdt tenslotte van je zoals je bent. Je afkeer van beloften voor de toekomst hoort daarbij, dat is een onderdeel van jou,' sprak Penny beslist.

'Heb jij die twijfels nooit gehad?' vroeg Chantal. 'Hoe wist je bijvoorbeeld dat Huug voor jou de ware was?'

'Dat is een gevoel dat je niet uit kunt leggen. Ik was vierentwintig toen ik met Huug trouwde en ik heb volmondig ja tegen hem gezegd. Dat is nu tien jaar geleden.'

'En het gaat nog steeds goed?'

'Op de gebruikelijke strubbelingen na.'

'En die zijn?' Chantal keek haar vragend aan. 'Ik heb nog nooit met een man samengewoond, ik kan me er eigenlijk geen voorstelling van maken.'

'Ach.' Penny trok met haar schouders. 'De kinderen, het huishouden, kleine irritaties, dat soort dingen. Dat is heel normaal als je een tijd samen bent en de eerste verliefdheid is verdwenen. In het begin sta je nog juichend achter de deur als je man thuiskomt, maar dat gaat er vanzelf vanaf.'

Chantal keek peinzend voor zich uit, ze tuitte haar lippen.

'Zo ver heb ik het nog niet gered. Mijn relaties werden altijd verbroken als de eerste ruzies en verwijten de kop opstaken. Heel onvolwassen eigenlijk. Aan de andere kant heb ik ook nog nooit het gevoel gehad dat het echt goed zat tussen een man en mij. Dat ervaar ik nu pas voor het eerst.'

'Dan is Guido wellicht de man voor je. Hoe oud ben je?' wilde Penny weten.

'Vierendertig.'

'Net zo oud als ik.'

'Maar met totaal verschillende levens. Vergeleken bij jou fladder ik maar wat rond. Ik ben niet getrouwd, heb geen kinderwens en geen carrière. Mijn woning bestaat uit een klein huurflatje, ik heb geen auto en ik maak geen plannen voor de toekomst.'

'Dat klinkt heerlijk ongecompliceerd. Mijn leven staat bol van de verplichtingen. Het hebben van een groot koophuis en twee auto's is fijn, maar ik moet wel iedere maand zorgen dat alle lasten betaald worden. Achteroverleunen is er niet bij, ik moet constant waakzaam blijven. Mijn leven is vooral druk. Daar klaag ik overigens niet over, hoor,' voegde Penny daar snel aan toe. 'Ik hou van drukte, dynamiek en stress. Een avond op de bank hangen is niets voor mij.'

'Heerlijk juist. Met een dekentje, een kop koffie en een plak chocola en dan alleen maar gedachteloos tv-kijken,' genoot Chantal. 'Heeft Huug er geen problemen mee dat je altijd bezig bent?'

'Dat is een van onze strubbelingen,' zei Penny met een grimas. 'Hij verwijt me dat ik te weinig tijd voor ons gezin vrijmaak. Heel eerlijk gezegd heeft hij daar wel gelijk in, aan de andere kant ben ik degene die de kost moet verdienen voor datzelfde gezin. Geld verdienen en tegelijkertijd veel thuis zijn gaat nu eenmaal niet samen. Hij is huisman geworden, de last voor de hypotheek en de rest van de financiën ligt nu volledig op mijn schouders.'

'Maar je hebt het niet drukker gekregen sinds hij thuis is, hij is juist thuisgebleven omdat jij het zo druk had,' merkte Chantal spits op. 'Oorzaak en gevolg. Zoals trouwens alles in het leven. Guido is er ook vast van overtuigd dat mijn angst om me te binden een oorzaak in het verleden moet hebben.'

'En is dat zo?'

Chantal schokte met haar schouders. 'Volgens mij niet. Ik heb geen trauma's meegemaakt in mijn jeugd, behalve dan dat mijn twee veel oudere broers zich weinig aan me gelegen lieten liggen. Dat is overigens nog steeds zo, maar het missen van een band met mijn broers kan toch onmogelijk de reden zijn dat ik niet wil trouwen. Ik ben trouwens niet zo'n voorstander van het gewroet in het verleden als het om hedendaagse problemen gaat. Twee mensen kunnen precies hetzelfde meemaken, maar daar toch allebei anders op reageren later, dus dat zegt niets. Als je een oorzaak zoekt, vind je er altijd wel eentje. Tenslotte loopt niemands leven van een leien dakje, iedereen draagt zijn eigen stukje bagage mee.'

'Dat is zeker zo, maar het kan wel invloed hebben,' zei Penny peinzend. Ze dacht aan haar eigen jeugd en aan de manier waarop ze tegenwoordig in het leven stond. Volgens haar had het feit dat ze geadopteerd was wel degelijk te maken met het gevoel dat ze nergens echt bij hoorde. Een gevoel dat ze probeerde te compenseren door zo druk mogelijk bezig te blijven en veel werkzaamheden naar zich toe te trekken. Ze wilde dat onderwerp ter sprake brengen, maar op dat moment kwamen er twee mensen binnen en begon tegelijkertijd de telefoon te rinkelen.

'Sorry,' zei Chantal terwijl ze van de kruk sprong. 'Ik moet nu echt weer aan het werk. Even de telefoon aannemen, dan help ik jou verder.'

Penny keek op haar horloge en schrok. Had ze werkelijk zo lang zitten kletsen? Over een kwartier had ze een zakelijke bespreking, dus die zonnebanksessie ging echt niet meer lukken.

'Ik moet ervandoor,' kondigde ze dan ook aan zodra Chantal klaar was met het telefoongesprek. 'Een ander keertje kom ik wel weer genieten van de warme stralen. Als we dan tenminste niet weer zo zwaar gaan zitten bomen.'

'Het spijt me als ik je plannen heb getorpedeerd,' zei Chantal met een klein lachje. 'Trouwens, ik heb gisteren een gesprek met onze regiomanager gehad. Hij wil meer reclame gaan maken voor het bedrijf, dus ik heb jouw kantoor ter sprake gebracht. Hij vroeg om je nummer.'

Penny krabbelde het haastig op een papiertje dat op de balie lag. 'Dit is mijn mobiele nummer, daar ben ik altijd op te bereiken. Ik moet nu echt gaan, want ik heb zo een vergadering. Tot kijk.'

Ze stak haar hand op ten afscheid en liep gehaast weg. Zoals haar hele leven uit haasten bestond, peinsde Chantal. Dat zou niets voor haar zijn, ze hield er juist van om lekker helemaal niets te doen op zijn tijd. Gewoon lekker een beetje hangen, een tijdschrift lezen, een filmpje kijken of spontaan op stap gaan, zoals gisteravond met Guido was gebeurd. Penny zou vast geen tijd hebben voor dergelijke spontane acties, dat paste niet in haar drukke schema.

Uit angst het telefoonnummer kwijt te raken, sloeg ze het meteen op in haar eigen mobiel. Het was gezellig geweest, al voelde ze nu haar maag knorren omdat ze haar lunch had overgeslagen door het gesprek met Penny. Ze klikten wonderlijk goed met elkaar. Het was alsof een dunne, onzichtbare draad hen met elkaar verbond. Niet tastbaar, maar duidelijk aanwezig. Of ze elkaar eigenlijk al jaren kenden. Vreemd. Chantal wist bijna zeker dat Penny dat ook zo voelde, toch hadden ze geen nieuwe afspraak gemaakt. Dat was ook niet nodig, dat maakte het alleen maar geforceerd. Ze zouden elkaar vanzelf weer tegenkomen, zoals nu al een paar keer was gebeurd. Op de een of andere manier was het volkomen vanzelfsprekend dat ze deel van elkaars leven uit bleven maken. Dat hoefde niet in afspraken vastgelegd te worden.

'Was dat familie van je?' informeerde Tina, Chantal daarmee uit haar gedachten halend.

'Wie? Penny? Nee hoor, gewoon een klant die ik weleens eerder tegen ben gekomen in het verleden,' antwoordde ze.

'Zo zag het er niet uit, jullie waren zo verdiept in elkaar. Eigenlijk dacht ik dat jullie zusjes waren.'

'Ik heb geen zussen,' zei Chantal afwerend. 'De voorraadlijsten moeten nog gecontroleerd worden, dus ik ga naar het magazijn. Roep je me als het onverhoopt druk wordt?'

Ze griste de map met bestellijsten van het bureau en liep weg. Daar was het weer, dat onbestemde gevoel dat ze iets miste. Raar dat dit juist nu kwam opzetten, net op het moment dat het leek of ze een vriendin gevonden had.

De herfst was dat jaar stormachtig en nat. Chantal hield van dergelijk weer, zoals ze eigenlijk alle weersgesteldheden wel kon waarderen. Zolang er maar verandering in zat. Iedere dag zon ging ook vervelen, had ze een paar jaar geleden tijdens een lange vakantie in Spanje ontdekt.

'Volgens mij verveelt alles jou snel,' zei Guido toen dit tussen hen ter sprake kwam.

'Dat is niet helemaal waar. Mijn flatje heb ik al twaalf jaar en dat bevalt me nog steeds prima. Het is echt mijn eigen plekje geworden in de loop der tijd,' sprak Chantal dat tegen.

'Maar je huidige baan heb je pas tweeënhalf jaar en

je hebt ook al de nodige vrienden versleten. Ik kan alleen maar hopen dat ik je ook niet ga vervelen.'

'Die kans is uitermate klein,' zei ze met een glimlach in zijn richting. 'Mits je tenminste zo blijft als je nu bent. Lief, een beetje gestoord op zijn tijd, vrolijk en relativerend.'

Guido schoot hardop in de lach. 'Ooit word ik toch oud, dik en kaal. Dan ga ik misschien wel de hele dag lopen mopperen op de jeugd van tegenwoordig en ontwikkel ik een ochtendhumeur.'

'Kijk daarvoor uit, want dat is dan precies het moment waarop ik je inruil voor een ander,' waarschuwde Chantal hem bij voorbaat.

'Pas op, hè. Ook jij wordt ouder. Over een paar jaar ben jij misschien wel zo'n bemoeizuchtige kenau met steunkousen, een kunstgebit en een leesbril, die constant loopt te zeuren over haar kwaaltjes,' dreigde Guido.

Chantal rilde. 'Je schetst niet echt een aantrekkelijk toekomstbeeld. Hopelijk is dit geen beschrijving van je ouders.'

'O nee, zeker niet.' Guido's stem werd warm. 'Mijn ouders zijn gelukkig nog steeds fit en energiek. Het woord zeuren komt in hun woordenboek niet voor, zelfs niet over het feit dat ze me veel te weinig zien. Het is trouwens alweer een aardige tijd geleden dat ik bij hen ben geweest. Waarom gaan we morgen niet naar hen toe?' stelde hij voor. 'Dan is het zondag, het wordt slecht weer en we hebben nog geen plannen.'

'We?' echode Chantal. 'Wat moet ik nou bij je ouders?'

'Doe niet zo raar. Ze zullen het geweldig vinden om kennis met je te maken,' verzekerde Guido haar. 'Ik heb hun al veel over je verteld.'

'Ik weet het niet, Guido. Ik ben niet zo'n familiemens,' aarzelde Chantal.

'Je gaat toch niet weer een verhandeling houden over

het feit dat kennismaken met elkaars familie te veel verplichtingen geeft?' zei hij enigszins korzelig.

'Dat was nog niet in mijn hoofd opgekomen,' zei ze, niet helemaal naar waarheid.

'Ga dan gewoon mee. Je hoeft niet bang te zijn dat je hen overvalt of dat je te veel bent, iedereen is altijd welkom bij mijn ouders.'

'Goed dan,' hakte Chantal de knoop door. Het ging niet helemaal van harte, maar dat merkte hij niet. Die ene dag kwam ze wel door, dacht ze bij zichzelf. Guido was ook al een paar keer mee geweest naar het zorgcentrum waar haar moeder woonde, dus ze kon dit verzoek met goed fatsoen niet weigeren, al had ze er totaal geen zin in. Met zijn opmerking had hij wel in de roos geschoten. Ze zag ertegen op om ergens binnen te komen in de hoedanigheid van Guido's vriendin, in plaats van als zichzelf. Ouders hadden er een handje van om de partners van hun kinderen meteen te beoordelen als toekomstig lid van de familie, dat had ze vaker gemerkt. Bij haar eigen moeder maakte dat niet uit, omdat zij met haar geest niet meer in deze wereld vertoefde. De eerste keer dat Guido met haar mee was gekomen had Alida gedacht dat hij haar zoon was, de tweede keer sprak ze hem aan als haar dokter. Ze hoefde in ieder geval niet bang te zijn dat haar moeder Guido meteen als schoonzoon binnen de familie welkom heette, dacht Chantal met galgenhumor.

Ze stapte de dag erna met gemengde gevoelens in Guido's auto. Het was een rit van bijna drie uur, die ze grotendeels zwijgend aflegden. Ongekend voor hun doen, want ze hadden altijd wel iets te bepraten samen.

'We zijn er bijna,' zei Guido op een gegeven moment. Hij reed een klein, idyllisch dorpje binnen, waar een weldadige rust heerste.

'Wat een verschil met de stad,' was Chantals commentaar. 'Moest je daar niet vreselijk aan wennen?'

'Het is hier niet altijd zo rustig. Dit is een buitenwijk, dat vertekent het beeld enigszins. Bovendien heb ik hier zo veel familie wonen dat er voor mij vroeger weinig sprake was van rust. Het is bij ons thuis altijd de zoete inval geweest. Mijn moeder was een thuisblijfmoeder, zoals dat tegenwoordig heet. Ze heeft nooit een baan buitenshuis gehad, wat voor veel mensen een vrijbrief was om haar op hun kinderen te laten passen als ze zelf aan het werk waren,' vertelde Guido. 'Ik ben dan wel enig kind, maar zo voelde het niet. Er waren altijd wel neefjes en nichtjes over de vloer.'

'Wel gezellig. Bij ons thuis kon nooit zo veel,' herinnerde Chantal zich. 'Mijn ouders waren in de veertig toen ik bij hen kwam. Ze hadden de tijd van kleine kinderen al achter zich gelaten en bereidden zich voor op de volgende fase van hun leven. Daar paste ik eigenlijk niet bij. Onbewust heb ik dat aangevoeld, dus hield ik me koest. Ik had wel vriendinnen, maar die kwamen bijna nooit bij mij thuis spelen. Misschien had het wel gemogen als ik het gevraagd had, dat deed ik echter niet.'

'Ik had daar geen keus in,' zei Guido droog. 'Of ik wilde of niet, ik was altijd omringd door andere kinderen.'

'Dat klinkt niet alsof je daar erg blij mee was.'

'Ik zal nooit klagen over mijn jeugd, want die was warm, liefdevol en gezellig, maar er waren inderdaad momenten dat ik me weleens wilde terugtrekken in mijn kamer om in mijn eentje een boek te lezen of een puzzel te doen. Daar kreeg ik echter bijna nooit de kans voor. Mijn ouders hadden het liefst acht kinderen gewild, geloof ik. Toen dat niet lukte en duidelijk werd dat ik enig kind zou blijven, waren ze zo bang dat ik eenzaam op zou groeien, dat ze hun huis openstelden voor ieder kind in de wijde omgeving. Ik werd gestimuleerd om vriendjes mee naar huis te nemen en er werden speelafspraken voor me gemaakt die ik helemaal niet wilde.'

'Zo zie je, alles heeft een keerzijde in het leven,' filosofeerde Chantal.

'Zo gaat het trouwens nog bij hen, ook al woon ik al lang niet meer thuis,' vervolgde hij. 'Ze zijn nog steeds de oppassers van de buurt, nu voornamelijk voor de kinderen van mijn neven en nichten. Die weten dat ze nooit vergeefs een beroep op hen doen. Als ze een crèche waren begonnen, waren ze nu steenrijk geweest.' Hij draaide een lange straat in, met aan weerszijden huizen van lichtgekleurde bakstenen en donkere daken. De tuinen zagen er allemaal goed verzorgd uit. 'We zijn er.'

'Wat een leuke straat,' zei Chantal. Bewonderend om zich heen kijkend, stapte ze uit de auto. De deur van het huis waar Guido voor geparkeerd had, vloog open en een jong ogende vrouw, gekleed in een spijkerbroek en een shirt, kwam naar buiten rennen.

'Daar zijn jullie al! Wat heerlijk vroeg, ik had jullie het eerste uur nog niet verwacht.' Ze omhelsde Guido en wendde zich daarna tot Chantal. 'Jij moet Chantal zijn. Welkom, liefje. Ik ben Guido's moeder, Gerdien. Kom gauw binnen, de koffie loopt net door.' Hartelijk kuste ze Chantal op beide wangen, alsof ze geen vreemde, maar een oude vriendin was. Van dichtbij zag Chantal dat Gerdien ouder was dan ze had gedacht. De vrouw maakte een zeer jonge, vitale indruk.

'Mag ik ze ook even begroeten?' klonk een rustige stem. Een oudere uitgave van Guido stond ineens voor Chantal. Ook hij kuste haar. 'Adriaan Metzelaer. Ha, jongen.' Hij gaf Guido een klap op zijn schouder.

Beduusd vanwege deze warme begroeting liep Chantal mee naar binnen. Het huis was licht, zonnig en ruim, en robuust ingericht met meubelstukken die tegen een stootje konden. De muren waren lichtgeel geverfd, op de vloer lagen roomwitte plavuizen.

'Wat een heerlijk zonnig huis,' zei Chantal spontaan. Dit was totaal anders dan haar ouderlijk huis, waar sombere kleuren de boventoon hadden gevoerd.

'We houden van veel licht, dat maakt het leven vrolijker,' legde Gerdien uit.

'Mijn ouders vonden dat te besmettelijk.'

'Het zit ook af en toe onder de vlekken, maar daar zijn dweilen voor uitgevonden,' zei Gerdien monter. 'Ga lekker zitten, kind. Koffie? Ik heb appeltaart gebakken, ik hoop dat je daarvan houdt.'

'Van jouw appeltaart houdt iedereen,' mengde Guido zich in het gesprek. Hij leidde Chantal naar de crèmekleurige hoekbank, die pal voor het grote raam stond opgesteld.

'Kijk eens, appeltaart met veel slagroom. Je ziet eruit alsof je dat lekker vindt.'

Gerdien overhandigde haar een schoteltje met een groot stuk taart, ze knipoogde er vrolijk bij. Er was totaal geen sprake van een gedwongen sfeer of een plichtmatige, beleefde conversatie. Chantal werd in de kring opgenomen alsof ze er hoorde en zo voelde dat ook voor haar. Zo welkom had ze zich nog nooit ergens gevoeld.

In een paar maanden tijd was ze ineens omringd door mensen die haar hart hadden geraakt, een ongekende sensatie. Ondanks haar vrolijkheid en haar onbezorgde uiterlijk was Chantal altijd eenzaam geweest. Nu had ze Guido, Penny en als klap op de vuurpijl Guido's ouders, die haar onthaalden alsof zij het enige was wat aan hun geluk ontbrak. Ze koesterde zich in de warme sfeer die hier hing.

Guido's hand drukte even de hare.

'Zie je wel?' fluisterde hij. 'Hier is iedereen welkom.'

Chantal glimlachte naar hem en wendde zich tot Gerdien, die belangstellend informeerde hoe zij en Guido elkaar hadden leren kennen.

'Dat is een leuk verhaal,' zei ze. Levendig begon ze te

vertellen over hun ontmoeting voor het ziekenhuis. Ze werd onderbroken door een hoop kabaal in de keuken. Via de achterdeur kwamen twee kinderen naar binnen rennen, allebei zwaaiend met een tekening.

'Tante Gerdien, die is voor jou!' riep de oudste, een jongetje van een jaar of zes.

'Die ook, die ook,' gilde het jongste kind meteen. Snel drukte hij de tekening in Gerdiens handen.

'Rustig, jongens,' klonk een vrolijke stem. Een jonge, blonde vrouw met een baby op haar arm kwam de kamer binnen. Ze werd gevolgd door een lange man die de chaos stoïcijns bekeek. Het was ineens een drukte van belang in de kamer.

'De rust is wel meteen verdwenen als jij ergens binnenkomt,' plaagde Guido haar. 'Chantal, dit is Yvet, een nichtje van me, met haar man Harold. Die twee herrieschoppers zijn Justin en Kevin, het hekkensluitertje is Bibi. Kom eens hier jij. Tjonge, wat ben je gegroeid.' Hij nam de baby van Yvet over en wiegde haar op zijn arm.

'Jij moet Chantal zijn.' Yvet drukte haar hartelijk de hand.

'Ik ben nogal over de tong gegaan, geloof ik,' lachte Chantal.

'Klopt, er is al heel wat over je geroddeld,' knikte Yvet ongedwongen. 'Guido die met een vriendin naar huis komt, dat is wereldnieuws in het dorp.' Ze negeerde de verontwaardigde uitroep van Guido en lachte Chantal stralend toe.

'Yvet is de flapuit van de familie,' zei Gerdien. 'Ga zitten, Yvet, en breng dat arme kind niet in verlegenheid. Koffie?'

'Met taart graag,' antwoordde Yvet met een begerige blik op de bordjes op tafel.

'Ik help wel even.' Chantal sprong overeind en volgde Gerdien naar de keuken.

Gerdien accepteerde haar hulp als vanzelfsprekend.

Ze duwde haar een grote thermoskan en een paar bekers in de handen. Chantal was blij dat ze niet beleefd riep dat haar hulp niet nodig was, want dan had ze zich meteen weer de gast gevoeld. Nu was daar geen sprake van. Alsof ze hier al jaren over de vloer kwam, schonk ze koffie in voor de onverwachte visite en maakte ze limonade voor Justin en Kevin. In het voorbijgaan ving ze de knipoog van Guido op. Haar hart barstte bijna uit zijn voegen van geluk. Deze dag, waar ze zo tegen op had gezien, bleek een onverwachts cadeau. De ongedwongen manier waarop ze hier binnengehaald was, de warme sfeer en de ongecompliceerde gezelligheid van de plagerijtjes die over en weer vlogen, waren onbekend voor haar, maar het voelde of ze thuisgekomen was.

HOOFDSTUK 10

'En? Viel mee, hè?' vroeg Guido zodra ze in de auto zaten om terug naar huis te rijden. De hele familie, inclusief de baby, stond in de voortuin om hen na te zwaaien. Chantal zwaaide vanuit haar open raampje enthousiast terug.

'Je ouders zijn schatten,' zei ze oprecht. 'Het was alsof ik in een warm bad kwam.'

Guido sloeg de hoek om, zodat zijn familie aan het zicht werd onttrokken. Snel deed Chantal het raampje dicht. Nu de herfst definitief zijn intrede had gedaan was het koud 's avonds. Eigenlijk hadden ze in de middag al terug willen rijden, maar Chantal had het zo naar haar zin gehad dat ze met beide handen het voorstel om te blijven eten had aangepakt.

'Gezellig, dan blijven wij ook,' had Yvet zichzelf en haar gezin meteen uitgenodigd.

Chantal had erom gelachen, maar tot haar grote verbazing vonden Gerdien en Adriaan dat geen enkel probleem. De grote vriezer in de bijkeuken werd geplunderd en een uur later zaten ze met zijn allen aan de grote tafel, met schalen vol heerlijkheden voor hun neus. Chantal was er nog steeds beduusd van.

'Dat je ouders het goedvonden dat iedereen bleef eten,' zei ze dan ook, nog steeds met verbazing in haar stem.

'Dat is heel normaal bij ons,' verklaarde Guido echter. 'De zoete inval, ik zei het je al. We waren met zijn drieën, maar als ik terugdenk aan mijn jeugd, zie ik altijd die grote eettafel vol mensen voor me.'

'Daar kan ik me niets bij voorstellen. Bij ons mochten zelfs vriendjes nooit blijven eten. Als er al eens iemand kwam spelen, wat maar zelden voorkwam, werden ze voor het eten altijd verzocht op te hoepelen, zachtjes gezegd. Ik ben nooit iets tekortgekomen en heb een prima jeugd gehad, maar het is niet te vergelijken met wat jij had. Je bent een geluksvogel.'

'Dubbel, nu ik jou heb,' zei Guido lief. Hij draaide de grote weg op en zette zijn cruisecontrol aan. Het was rustig in dit deel van het land, er waren amper auto's op de weg. 'Je moet maar vaak met me meegaan, dat vinden mijn ouders alleen maar leuk. Je viel in de smaak bij hen.'

'Dat kan ik alleen maar hopen,' zei Chantal.

'Ik weet het wel zeker. Ik heb ook weleens een vriendinnetje gehad dat ze niet mochten en dan waren ze ook aardig voor haar, maar toch anders. Afstandelijker. Wel beleefd, maar minder hartelijk.'

'Jammer dat ze zo ver weg wonen. Je rijdt niet iedere week even heen en weer en je wipt zeker niet zomaar aan voor een kop koffie.'

Guido schoot in de lach. 'Hoor hier de vrouw die er gisteren enorm tegen opzag om naar mijn ouders te gaan! Je bent wel omgeslagen.'

'Ik voelde me er thuis,' gaf ze toe. 'Dat verbaast me zelf nog het meest. Ik denk dat je inderdaad de rest van je leven aan me vastzit, Guido. Niet vanwege jezelf, maar omdat ik je ouders niet meer kwijt wil.'

Hij wierp zijdelings een snelle blik op haar. Het was een grapje, toch voelde hij zijn hart even opspringen bij deze woorden. Chantals bindingsangst leek te verdwijnen. Hij kende haar nu een halfjaar en hun relatie was zo hecht dat hij de belofte voor de toekomst wel durfde te maken. Omdat hij wist hoe zij daarover dacht, begon hij daar echter nooit over. Deze losse opmerking opende nieuwe perspectieven.

'Volgens mij was dat volkomen wederzijds,' zei hij. 'Mijn moeder vroeg me zelfs wanneer je jarig bent. Kijk niet vreemd op als ze op die dag ineens op je stoep staan.'

'Dat zou leuk zijn. Ik vier mijn verjaardag nooit echt

bij gebrek aan mensen die me de moeite waard vinden om op visite te komen. Mijn broers sturen trouw een kaart, maar daar blijft het bij. Mijn moeder weet niet eens meer wanneer ik jarig ben.'

'Dit jaar zou ik maar gebak in huis halen, als ik jou was. Het zou me niet eens verbazen als Yvet met haar aanhang ook komt. Jullie konden het goed vinden samen. Je hebt er een vriendin bij.'

Het werd drukker op de weg en Guido schakelde de cruisecontrol uit. Het eerste stuk was altijd heerlijk relaxed rijden, maar hier had hij zijn concentratie wel nodig.

Chantals gedachten gleden naar Penny. Vreemd genoeg was zij de eerste die bij haar opkwam bij het woord vriendin, hoewel ze nog nooit iets hadden afgesproken samen en ze elkaar alleen af en toe zagen in het zonnebankcentrum. Onveranderlijk raakten ze dan aan de praat. Penny had inmiddels de opdracht binnengekregen om reclame voor de zonnestudio te maken, maar daar had Chantal verder niets mee te maken, die contacten liepen via haar regiomanager. Hun contact beperkte zich tot korte praatjes over en weer, toch voelde het heel vertrouwd aan. Hun gesprekken gingen trouwens altijd de diepte in, ze hadden het niet over koetjes en kalfjes. Met Yvet was het heel leuk en gezellig geweest, maar een stuk oppervlakkiger. De klik die ze bij Penny wel meteen gevoeld had, miste ze bij haar. Met Gerdien had ze dat wel, dat had eveneens meteen vertrouwd aangevoeld.

'Het voelt alsof ik er familie bij heb,' zei ze als vervolg op haar gedachten en Guido's opmerking. 'Jouw ouders zijn geen afschrikwekkend voorbeeld als je het over schoonfamilie hebt.'

Hij reageerde daar niet op, omdat hij al zijn aandacht nodig had bij een automobilist die een rare inhaalmanoeuvre maakte. Toch drongen haar woorden regelrecht zijn hart binnen. Dit was de tweede hint in een kwartier tijd dat ze haar leven wel aan dat van hem wilde verbinden. Hij glimlachte voor zich heen. Eigenlijk had hij daar ook geen moment echt aan getwijfeld, ondanks haar stellige beweringen dat ze nooit wilde trouwen. Hij had altijd geweten dat hun grote dag ooit zou komen. En zo te horen nog sneller dan hij dacht ook.

Chantal legde haar hoofd tegen de leuning van haar stoel. Het was inmiddels volkomen donker en begeleid door het geronk van de motor doezelde ze weg. Guido's hersens werkten daarentegen op volle toeren. Het gepraat over Chantals verjaardag had hem op een idee gebracht. Over vier weken werd ze vijfendertig. Een mooie leeftijd voor een feestje, vond hij. Ze beweerde wel altijd dat ze nooit iets tekortgekomen was, maar aan liefde, warmte en aandacht had het haar wel degelijk ontbroken, daar kwam hij steeds meer achter. Haar vijfendertigste verjaardag was een mooie gelegenheid om daar iets van goed te maken en haar te laten delen in de warmte die voor hem volkomen normaal was. Een surpriseparty, dat zou leuk zijn. Haar verjaardag viel op een zondag, dus de zaterdagavond daarvoor was daar uitermate geschikt voor. Zijn vriend Andreas had een café met een klein feestzaaltje erachter. Met een beetje mazzel was dat zaaltje nog vrij voor die avond, dan kon hij dat afhuren. Dat was precies mooi. Niet al te groot, maar ruim genoeg voor zijn familieleden, die ongetwijfeld allemaal zouden komen als hij hun uitlegde wat hij van plan was. Hij moest alleen een manier zien te vinden om familie, vrienden en kennissen van Chantal te achterhalen, zodat ook zij uitgenodigd konden worden. Veel waren dat er overigens niet, wist hij. Voor zover hij uit haar verhalen kon opmaken zouden haar broers niet de moeite nemen om te komen, en verdere familie bezat ze niet. Vrienden en vriendinnen scheen ze ook niet veel te hebben, hij had in ieder geval nog nooit iemand ontmoet. Met haar collega's kon ze wel goed overweg, die wilde hij in ieder geval uitnodigen.

Een week later toog Guido tijdens zijn lunchpauze op Chantals vrije dag naar het zonnebankcentrum om daar zijn plannetje te ontvouwen. Tina reageerde enthousiast, maar ze kon hem verder niet helpen aan adressen van andere bekenden van Chantal.

'Geen idee. Ze praat nooit over haar privéleven,' zei ze. 'Maar dit zal ze vast leuk vinden. Ik zal onze andere medewerkers inlichten en zorgen dat ze hun mond stijf dichthouden,' beloofde ze.

Ook Guido's familie zegde toe te willen komen op die avond om Chantal te verrassen, en Andreas stelde onmiddellijk gratis het zaaltje ter beschikking voor de bewuste avond.

Anderhalve week voor Chantals verjaardag was alles geregeld, het enige probleem dat Guido bij zijn voorbereidingen ondervond waren Chantals kennissen. Het leek hem niet leuk voor haar als er alleen familie en vrienden van hem op haar feestje kwamen, maar hij had geen idee hoe hij hun adressen of telefoonnummers moest achterhalen zonder dat Chantal begreep dat hij iets in zijn schild voerde.

Het lot was hem echter gunstig gezind. Chantal had bij hem gegeten, maar vertrok direct daarna naar haar eigen huis omdat ze hoofdpijn had. Een halfuur later vond Guido haar mobiele telefoon tussen de kussens van zijn bank. Zijn ogen begonnen te glimmen. Dit was zijn kans. Het was niet echt netjes om in andermans telefoon te neuzen, maar deze gelegenheid kon hij niet voorbij laten gaan. Gelukkig had ze het apparaatje niet beveiligd met een wachtwoord, hij kon zo de lijst met namen en telefoonnummers opvragen. De berichten die erin stonden negeerde hij, hij was niet van plan om die stiekem door te lezen, het ging hem alleen om haar contacten. Met haar mobiel in zijn ene hand en zijn eigen telefoon in de andere, toetste hij het eerste nummer in dat in de lijst vermeld stond.

'Goedenavond, met Guido Metzelaer,' zei hij zodra er aan de andere kant werd opgenomen. 'U kent me niet, maar ik bel voor het volgende.' Hij legde zijn plan voor een surpriseparty uit en luisterde tevreden naar de enthousiaste reactie. Dat was een goed begin. Op deze manier had Chantal tenminste ook haar eigen mensen om zich heen op die avond. Vol goede moed begon hij het volgende nummer in te toetsen.

'Wie was dat?' wilde Huug weten. Hij had weinig begrepen van het telefoongesprek dat Penny net gevoerd had.

'Ene Guido. Hij schijnt de vriend te zijn van Chantal, je weet wel. Hij belde om me uit te nodigen voor een supriseparty ter ere van Chantals verjaardag,' vertelde Penny.

'Guido? Dat is die vroegere kennis van mij. Heeft hij tegenwoordig iets met Chantal? Wat leuk. Ze hebben elkaar ontmoet bij het ziekenhuis destijds,' herinnerde Huug zich.

'Ik spreek haar af en toe als ik naar de zonnebank ga,' zei Penny. 'Die Guido ken ik ook niet, alleen uit wat Chantal over hem verteld heeft. Hij vertelde dat hij alle namen uit haar telefoonlijst aan het bellen is.'

'Waarom sta jij in haar telefoon?'

'Ze vroeg laatst mijn nummer vanwege dat centrum waar ze werkt. Haar baas wilde meer reclame maken. Ik heb je over die opdracht verteld,' herinnerde Penny hem.

'Raar. Als hij haar vriend is kent hij de mensen met wie ze omgaat toch wel,' meende Huug. 'Ik vind het een vaag verhaal. Je gaat toch zeker niet? Wanneer is het trouwens?'

'Ze is volgende week zondag jarig, het feestje is de avond ervoor.'

Huug keek verrast op. 'Tegelijk met jou dus. Toevallig.'

'Dat is dan ook de enige overeenkomst die we hebben. Voor de rest hebben we niets gemeen met elkaar,' zei Penny terwijl ze haar laptop openklapte.

'Je gaat toch niet werken?' zei Huug meteen. 'Die film waar we vorige week dat voorstukje van zagen komt op tv. Die wilde jij ook zien.'

'Geen tijd. Morgen heb ik een bespreking met een potentiële klant, daar moet ik me op voorbereiden.'

'Als je dat nu nog moet doen, deel je je tijd niet echt goed in,' reageerde Huug hatelijk.

Penny ging daar niet op in. Als ze dat deed hadden ze iedere dag ruzie. Ze vertelde hem ook niet dat ze die middag naar de zonnebank was geweest en daar zo haar tijd had zitten verkletsen met Chantal dat ze achterliep met haar werk. Waarschijnlijk zou hij haar dan verwijten dat ze dus wel tijd vrijmaakte voor een vage kennis en niet voor haar gezin. Helemaal onterecht zou dat trouwens niet zijn, dacht ze eerlijk. Ze had de avondmaaltijd thuis gemist omdat een presentatie was uitgelopen en nu zat ze achter haar laptop in plaats van samen met Huug naar een film te kijken, terwijl ze die middag anderhalf uur met Chantal in een lunchroom had gezeten. Chantals werktijd zat er net op toen Penny het centrum binnen was gekomen, en spontaan hadden ze besloten samen ergens iets te gaan drinken. Huug zou haar dat zeker niet in dank afnemen als hij dat wist. Penny was er zelf trouwens ook verbaasd over. Met de enkele vriendinnen die ze in het verleden had gehad, was het contact al lang verwaterd omdat ze geen tijd en energie in die vriendschappen stopte. Haar werk was altijd belangrijker voor haar geweest. Toen ze eenmaal haar eigen bedrijf had en tevens haar gezin begon te groeien, was het helemaal afgelopen geweest met de contacten die ze had. De enige die ze op dat gebied trouw was gebleven, was Romano, maar ook hun vriendschap strekte zich niet verder uit dan de werkvloer. Ze had helemaal geen behoefte aan vriendinnen om oeverloos mee te kletsen en leuke dingen mee te ondernemen. Haar leven zat veel te vol met andere zaken. Chantal had echter iets in haar losgemaakt. Iets wat ze niet kon benoemen, maar wat haar wel bezighield. Alsof ze op de een of andere manier met elkaar verbonden waren. Onzichtbaar, maar voelbaar.

Penny's handen bleven boven haar toetsenbord steken, ze schudde geïrriteerd haar hoofd. Wat waren dit nu weer voor onzinnige gedachten. Ze moest niet zo zeuren en gewoon doorwerken, anders zat ze hier vannacht nog. Chantal was een leuke vrouw en hun omgang had potentie om uit te groeien tot een fijne vriendschap, maar ze had wel iets anders aan haar hoofd. Die bespreking van morgen was belangrijk, ze kon haar aandacht beter daarbij houden dan bij een vrouw met wie ze toevallig leuk overweg kon. Haar leven zat overvol, er was helemaal geen ruimte voor een vriendin. Ze was dan ook niet van plan om op Guido's uitnodiging in te gaan, hoe graag ze Chantal ook mocht. Wat moest zij nou op een dergelijk feestje waar ze niemand van de aanwezigen kende, behalve dan het feestvarken? Ze kon haar tijd wel beter besteden.

Dat had overigens niets te maken met haar eigen verjaardag, die op dezelfde dag viel. Ze vierde haar verjaardag al jaren niet meer. Verplicht opzitten en potjes geven aan mensen met wie ze de rest van het jaar niet omging was niet iets waar ze plezier aan beleefde. Huug kocht ieder jaar trouw een cadeau voor haar en liet de kinderen altijd iets geven, maar voor de rest ging deze dag ongemerkt voorbij. Hoewel zo'n surpriseparty eigenlijk wel leuk zou zijn, droomde ze. Zo'n volslagen verrassing, waarbij je overvallen werd door mensen die van je hielden en die waren gekomen om je een plezier te doen. Maar voor haar verjaardag zouden ze aan een klein kamertje genoeg hebben, daar was geen zaaltje voor nodig, zoals Guido had gehuurd voor Chantal. Ze had zo weinig sociale contacten.

Weer schudde Penny haar hoofd. Wat zat ze vanavond toch te malen over allerlei onbelangrijke zaken. Wat kon haar het schelen hoeveel mensen er zouden komen opdraven voor een verrassingsfeestje ter ere van haar? Dat was toch niet aan de orde. Hoe lief Huug verder ook was, dergelijke ideeën kwamen nooit in zijn hoofd op. Daar verlangde ze trouwens ook niet naar, ze hoefde niet verrast te worden.

Met moeite richtte Penny zich weer op haar werk, maar het lukte haar niet echt om haar aandacht erbij te houden. Uiteindelijk klapte ze haar laptop maar dicht. Op deze manier kwam er niets van werken terecht, dan kon ze beter morgen een uurtje eerder naar de zaak gaan, zodat ze daar de laatste voorbereidingen kon treffen voor de bespreking.

Ze had het de dagen erna razend druk. Romano was op vakantie en een van hun personeelsleden meldde zich ziek, zodat er veel extra taken op haar schouders neerkwamen. 's Ochtends vertrok ze in alle vroegte naar de zaak om een paar uur rustig door te kunnen werken voor de rest van de medewerkers verscheen, en 's avonds was ze onveranderlijk pas laat thuis. Ze zag haar kinderen die week nauwelijks. Tessa zat sinds kort op turnen, maar Penny miste haar eerste wedstrijd vanwege een lang uitgelopen brainstormsessie over een te voeren tv-campagne. Ook die zaterdag bracht ze de hele dag op kantoor door. Pas om zes uur kwam ze doodmoe thuis, om daar tot de ontdekking te komen dat er niemand was. Er lag een briefje van Huug op tafel met de mededeling dat ze naar zijn ouders waren. Penny fronste haar wenkbrauwen. Wat was dit nu? Bij haar weten had hij daar niets over gezegd, hoewel een dergelijke mededeling haar makkelijk door het hoofd geschoten kon zijn. Ze had de laatste dagen zo veel gehad om over na te denken, een bezoekje aan haar schoonouders paste daar niet meer bij. Er was ook geen eten in huis, ontdekte ze. Normaal gesproken hield Huug altijd wat eten voor haar apart als ze laat was, zodat dat alleen maar opgewarmd hoefde te worden. In de koelkast vond ze echter niets wat daarop wees.

Driftig toetste ze zijn telefoonnummer in.

'Met mij. Waarom ben jij niet thuis?' vroeg ze gepikeerd zodra hij opnam.

'Waarom wel?' beantwoordde hij haar vraag met een tegenvraag. 'Ik ben met de kinderen bij mijn ouders, zoals je hebt kunnen lezen. Ze hadden de kleintjes al zo'n tijd niet gezien. Het zal wel laat worden. We zitten nu net aan tafel. Ik kan moeilijk direct na het eten wegrennen en zoals je weet is het nog een paar uur rijden. Wacht maar niet op me.'

'Wat is dit voor onzin?' vroeg Penny zich hardop af. 'Je had op zijn minst even kunnen melden dat je niet thuis zou zijn, dan had ik me niet hoeven haasten om op tijd thuis te komen.'

'Ik was me er niet van bewust dat jij moeite deed om thuis te zijn,' zei hij hatelijk.

'Doe niet zo raar. Het is zaterdagavond. Ik vind dit niet leuk, Huug.'

'Misschien dat je dan eens beseft hoe ik me vaak voel. Jij bent er nooit.'

'Ik werk.'

'Normale mensen werken ongeveer veertig uur per week. Daarnaast slapen ze er ongeveer vijftig, wat betekent dat er zo'n zeventig uur per week overblijft voor andere bezigheden. Samenzijn met het gezin bijvoorbeeld. Hoeveel van die zeventig ben jij er de laatste week thuis geweest?'

'Daar gaan we weer,' zei Penny vermoeid.

'Nee Penny, ik ga er geen ruzie over maken, want ik weet ondertussen uit ervaring dat dat niet helpt bij jou. Ik heb echter ook geen zin om thuis te blijven wachten tot jij je een keer herinnert dat je nog een man en een paar kinderen hebt. Tessa en Julian wilden graag naar oma en opa toe, dus zijn we gegaan, zo simpel is het.'

'Voor iemand die altijd zo zijn mond vol heeft met klagen dat hij zijn vrouw zo weinig ziet, vind ik dit een rare actie.'

'Jij gaat volledig je eigen gang, ik heb besloten dat voortaan ook maar te doen,' zei Huug rustig.

'Dat is vast erg bevorderlijk voor ons huwelijk,' spotte Penny.

Heel even viel er een stilte.

'Heb je het ook door?' vroeg Huug toen verdacht kalm.

'Ach, barst!' riep ze kwaad. 'Jij met je eeuwige commentaar, dat hangt me mijlenver de keel uit. Ik had een drukke week, ja, maar dat kwam door omstandigheden. Als jij zo kinderachtig wilt zijn om me te straffen door ervandoor te gaan als ik wel tijd heb, ga dan vooral je gang, maar daarmee verspeel je het recht om te blijven zeuren. Als jij je zo opstelt, voel ik me namelijk ook niet langer geroepen om rekening met jou te houden.'

'Alsof je dat ooit gedaan hebt,' zei Huug bitter. 'Ik moet gaan. Ze wachten met eten op me.'

Zonder verdere plichtplegingen verbrak hij de verbinding. Penny staarde verbijsterd naar haar telefoon, waar nu de gesprekstoon uit weerklonk. Ze gooide hem met een woest gebaar op tafel.

Hij bekeek het maar, dacht ze driftig. Ze was niet van plan om zich hier druk over te maken. Ze had een vrije avond en daar ging ze heerlijk van genieten. Met of zonder Huug. Er was vast wel iets leuks op tv en er zou ongetwijfeld wel wat lekkers in de kast liggen. Penny zette de televisie aan en schakelde ongedurig van het ene naar het andere kanaal. Zo veel zenders en nergens was iets behoorlijks op te zien, mopperde ze in zichzelf. Ze herinnerde zich dat Chantal nog niet zo lang geleden had gezegd dat ze het heerlijk vond om af en toe een avond oeverloos tv te kijken. Nou, zij vond het niets. Chantal had deze avond trouwens ook iets anders te doen, realiseerde ze zich. Vanavond was haar surpriseparty in dat café.

Penny's ogen dwaalden naar de klok. Kwart over zeven. Guido had de gasten verzocht om uiterlijk kwart voor acht aanwezig te zijn, dan zou hij samen met Chantal om acht uur arriveren. Wat hield haar eigenlijk tegen om te gaan? Ze was officieel uitgenodigd en ze had toch niets beters te doen. Ze verveelde zich, een ongekende sensatie voor haar. Normaal gesproken vroegen Huug en de kinderen om haar aandacht als ze niet aan het werk was.

Plotseling actief sprong Penny op. Alles was beter dan hier in haar eentje op de bank hangen met niets omhanden. Zelfs een surpriseparty waar ze niemand van de aanwezigen kende.

HOOFDSTUK 11

Chantal had, in tegenstelling tot andere jaren, een paar tassen vol boodschappen ingeslagen voor haar verjaardag. Ze verheugde zich er zowaar op, ontdekte ze. Jarenlang had ze het wel best gevonden dat deze dag geruisloos voorbijging, nu vond ze het echter leuk dat ze visite zou krijgen. Gerdien en Adriaan hadden volgens Guido toegezegd te zullen komen en Chantal hoopte dat Yvet er ook bij zou zijn met haar gezin. Als ze niet oppaste, werd ze nog sociaal, dacht ze spottend bij zichzelf.

'Zaterdag gaan we uit eten,' had Guido bedongen. 'Eigenlijk wilde ik dat zondag doen, op je verjaardag zelf, maar als je visite krijgt, komt daar niets van.' Hij had stiekem gelachen bij deze opmerking. Chantal had geen flauw vermoeden van wat haar boven het hoofd hing. Na het etentje zou hij haar meenemen naar het café van Andreas, zogenaamd om iets te drinken en Chantal en Andreas met elkaar te laten kennismaken. Iedereen zou daar dan al zijn, in het zaaltje achter het café. Het was tot in detail uitgedacht, er kon niets verkeerd gaan, dacht Guido tevreden bij zichzelf. Het enige wat hij nu nog kon doen was wachten tot het zover was en hopen dat niemand in die tussentijd zijn mond voorbij zou praten.

'Laten we nu eens naar een echt restaurant gaan in plaats van een eetcafé,' stelde hij die zaterdagmiddag voor. Zoals gewoonlijk droeg Chantal een oude spijkerbroek met een sweater en hij was bang dat ze dat zou aanhouden als ze naar hun vertrouwde eethuisje gingen. Ze gaf nu eenmaal niet om uiterlijk vertoon. Hij wist echter ook dat ze zich wel graag kleedde naar de gelegenheid, dus zou ze naar een duurder restaurant ongetwijfeld iets leuks aantrekken zonder dat hij daar verdachte toespelingen op hoefde te maken. Het leek hem voor haar niet prettig als ze vanavond op haar eigen feestje in een oude outfit rondliep terwijl haar gasten zich opgedoft hadden.

'Wat is er mis met ons eigen adresje?' vroeg Chantal loom. Ze rekte zich ongegeneerd uit. 'Eigenlijk heb ik helemaal geen zin om weg te gaan. Het regent en het is koud. Ik kan ook gewoon tosti's maken voor ons.'

'Nee, we gaan uit,' zei Guido beslist. Hij liet niet merken dat hij schrok. Als Chantal echt geen zin had, kreeg hij haar met geen tien paarden mee, wist hij. Dan viel zijn plannetje alsnog in het water. 'Je wordt maar één keer vijfendertig jaar, dat moeten we vieren. Ik heb trouwens al gereserveerd,' verzon hij haastig.

'Dan moet ik me omkleden,' stribbelde ze tegen.

'Ja, trek een leuke jurk aan, dan haal ik mijn nette pak weer eens uit de mottenballen. Dan gaan we echt in stijl,' zei Guido enthousiast. Hij duwde haar zowat in de richting van de slaapkamer en slaakte een zucht van verlichting toen ze niet verder protesteerde. Dit was iets wat hij niet voorzien had in zijn voorbereidingen. Terwijl Chantal onder de douche stond, belde hij snel een restaurant om te informeren of ze nog plek hadden voor twee personen. Gelukkig bleek dat geen probleem te zijn.

Via een omweg langs zijn huis, om inderdaad zijn pak aan te trekken – waar hij niet meer onderuit kon nu Chantal in een kobaltblauwe, gedrapeerde jurk naast hem zat – arriveerden ze om zes uur in het betreffende restaurant.

'Toch best weleens leuk,' merkte Chantal op nadat ze door een ober naar een tafeltje waren begeleid. 'Ik hou niet zo van al die opsmuk, maar het is weer eens wat anders.'

'Je begint volwassen te worden,' plaagde Guido haar.

'En burgerlijk,' haakte ze daar vrolijk op in. 'Verjaardagsvisite, restaurants, ik ben zelfs met jou mee geweest naar je ouders. Straks vind ik mezelf nog terug als getrouwde vrouw met een paar kinderen aan mijn rokken.'

Guido hield even onmerkbaar zijn adem in. Weer zo'n opmerking waaruit op te maken viel dat Chantal niet langer afwijzend stond tegen beloften voor het leven. Voorzichtig en onzichtbaar voor Chantal voelde hij met zijn vingers aan zijn colbert, ter hoogte van zijn binnenzak, waar zich een klein, vierkant doosje bevond. Zijn verjaardagscadeau voor haar, waarover hij lang getwijfeld had. Nog steeds was hij er niet helemaal van overtuigd of dit het juiste cadeau was.

Ze genoten van het eten en van elkaars gezelschap, zoals altijd. Chantal zegende nog steeds de dag dat ze Guido had ontmoet. Hij had haar leven verrijkt op een manier die ze voordien niet voor mogelijk had gehouden. Het voelde of ze met hem samen pas compleet was.

De maaltijd duurde langer dan Guido van tevoren gepland had. In hun vertrouwde eetcafé waren ze altijd zo klaar, in dit restaurant namen ze de tijd. Het dessert werkte hij dan ook zo snel mogelijk naar binnen en met een blik op zijn horloge besloot hij de koffie over te slaan.

'Heb je haast?' vroeg Chantal lachend.

'Ik heb het nu wel gezien hier, ik wil geen overdosis aan luxerestaurant krijgen,' antwoordde hij nonchalant. 'Laten we bij mijn vriend Andreas wat gaan drinken. Ik heb je weleens over hem verteld, hij heeft een café in het centrum. Ik wil jullie graag aan elkaar voorstellen.'

Iets later dan afgesproken, om tien over acht, parkeerde hij zijn wagen voor de deur van het betreffende café. Andreas begroette hen uitbundig.

'Waar bleef je nou, man?' vroeg hij terwijl hij Guido op zijn schouder sloeg.

Chantal bekeek het enigszins bevreemd. Guido had

dus van tevoren al afgesproken met deze man, begreep ze. Vreemd, tenslotte waren ze uit vanwege haar verjaardag. Ze gaf Andreas een hand, maar hij pakte haar vast en zoende haar op beide wangen.

'Alvast gefeliciteerd met je verjaardag. Fijn je eens te ontmoeten. Deze man heeft zijn mond altijd vol over je. Nee, niet gaan zitten. Jullie moeten even met me meelopen.' Hij knipoogde naar Guido. Met een vragende blik naar Guido, die neutraal terugkeek, volgde Chantal Andreas door een deur die uitkwam op een gang. Links zag ze toiletten, aan het eind bevond zich aan de rechterkant opnieuw een deur, waar Andreas een flinke roffel op gaf. Op hetzelfde moment waarop hij de deur opengooide, begon een koor van mensen luidkeels en niet helemaal zuiver 'lang zal ze leven' te zingen. Totaal overdonderd bleef Chantal op de drempel staan, niet zo snel bevattend wat er gebeurde. Ze zag Gerdien, die haar vrolijk toelachte, Adriaan, Yvet en Harold. Links, ietwat afzijdig van de rest, stond Penny, daarnaast enkele collega's van het zonnebankcentrum. Ook enkele voor haar vreemde gezichten staarden haar lachend en verwachtingsvol aan tijdens het zingen. Een groot spandoek met daarop de tekst *Gefeliciteerd Chantal* hing boven de bar. Een ander bord met een grote 35 erop aan de muur, naast talloze ballonnen.

'Wat is dit?' vroeg ze beduusd.

'Gefeliciteerd, liefste.' Guido's armen klemden zich vast om haar heen. 'Verrassing. Ik hoop dat je het leuk vindt.'

'Leuk?' Chantal begon te stralen toen het eenmaal tot haar doordrong dat dit een surpriseparty ter ere van haar was. 'Ik vind het fantastisch! Wat een geweldig idee van jou.'

'Dat hoopte ik al,' zei Guido opgelucht. Hij was behoorlijk zenuwachtig geweest voor dit moment. Bij

Chantal wist je nooit hoe ze reageerde, dat had hij in de loop der tijd wel gemerkt.

Chantal verdween van het ene paar armen in het andere, iedereen wilde haar feliciteren. Zelfs wildvreemden – familieleden van Guido, begreep ze – kusten haar alsof ze haar al jaren kenden.

'Had je niets gemerkt?' wilde Gerdien weten.

Chantal schudde haar hoofd. 'Geen moment, al vond ik wel dat Guido een beetje vreemd deed vandaag. Maar geen haar op mijn hoofd had dit aan zien komen. Wat leuk dat jullie allemaal gekomen zijn.'

'We wilden het voor geen prijs missen,' verzekerde Adriaan haar.

Het eerste gedeelte van het feest beleefde Chantal als in een roes. Ze hoorde namen die ze onmiddellijk weer vergat, dronk gedachteloos uit een glas dat Guido in haar handen drukte en keek nog steeds beduusd om zich heen.

'Je ziet eruit alsof je niet kunt geloven dat dit echt waar is.' Penny doemde ineens naast haar op.

'Dat klopt,' zei Chantal naar waarheid. 'Fijn dat jij er ook bij bent, trouwens, al verbaast op dit moment niets me meer. Hoe is Guido aan jou gekomen?'

'Via je telefoon, daar sta ik in.'

'Vanwege die reclameopdracht,' herinnerde Chantal zich. 'Goed dat ik je nummer opgeslagen heb in mijn mobiel, ik vind het echt leuk dat je er bent. Is Huug er ook?'

'Nee, hij is bij de kinderen,' antwoordde Penny vaag. 'Dus dat is je vriend? Die moet je houden, meid. Een man die dit soort dingen bedenkt en uitvoert, vind je niet snel meer.'

'Dat ben ik ook van plan.' Chantal grinnikte. 'Hij is geweldig.'

Guido liep net op dat moment achter hen langs en hoorde wat er gezegd werd. Zijn hart sprong even op en weer voelde hij aan het doosje in zijn binnenzak. Hij had dus toch het goede besluit genomen, dacht hij blij. Chantals woorden namen het laatste restje twijfel bij hem weg. Nu alleen nog het juiste moment afwachten. De eerste mensen begaven zich al op de geïmproviseerde dansvloer, Andreas ging rond met een schaal hapjes, dus hij kon beter nog even wachten.

Yvet voegde zich bij Penny en Chantal.

'Zijn jullie zussen van elkaar?' wilde ze weten.

'Nee hoor.' Penny schudde haar hoofd. 'We kennen elkaar zelfs amper. Ik ben een klant van Chantal.'

'Dit is me al vaker gevraagd, mijn collega dacht het ook,' zei Chantal.

Yvet monsterde de twee gezichten. 'Jullie hebben veel van elkaar weg. Dezelfde gezichtsvorm, dezelfde ogen. Jullie zouden zomaar familie kunnen zijn. Jullie hebben toevallig geen van tweeën een vader die een scheve schaats heeft gereden?' Ze lachte zelf hard om dit grapje en merkte niet dat Penny en Chantal elkaar ongemakkelijk aankeken. Voor beiden was dit een gevoelig onderwerp, al wisten ze dat niet van elkaar. Gelukkig voor hen werden ze gered door Harold, die zijn vrouw kwam halen om te dansen.

'Niet echt subtiel,' merkte Penny op.

'Yvet is een flapuit,' wist Chantal. 'Ik heb haar pas één keer gezien, maar dat viel me meteen op. Ze zegt alles wat voor haar mond komt.'

'Dat zou ze eens moeten afleren.' Penny's mond vertrok zich tot een smalle streep.

'Heeft ze een gevoelige snaar geraakt bij je?' informeerde Chantal voorzichtig. 'Sorry hoor, ik wil niet nieuwsgierig zijn, maar het lijkt alsof ze je gekwetst heeft. Dat was vast haar bedoeling niet.'

'Niet iedereen stamt uit een standaardgezin,' zei Penny schouderophalend. 'Mensen die zelf niets meegemaakt hebben, staan daar vaak niet bij stil.'

'Ik weet wat je bedoelt, ik heb zelf ook een achtergrond die niet helemaal gewoon is. Ik heb je weleens gezegd dat ik me niet wil binden, waarschijnlijk heeft dat daarmee te maken.'

'Maar nu heb je Guido.'

'Nu, ja, precies wat je zegt. Ik hoop dat onze relatie heel lang gaat duren, maar garanties zijn daar nooit voor te geven, dus wil ik me er ook niet op vastleggen. Ik geniet ervan zolang het duurt. Zolang het leuk blijft, hou ik hem,' zei Chantal luchtig. Vanaf de andere kant van de zaal lachte hij naar haar en ze hief haar glas naar hem omhoog.

'Laat hem maar niet te snel schieten,' raadde Penny haar aan.

Hun gesprek werd onderbroken omdat andere mensen Chantals aandacht vroegen. De avond vloog voorbij. Chantal maakte kennis met enkelen van de talloze neven en nichten van Guido en danste tot haar voeten er zeer van deden. De geluidsinstallatie van Andreas bracht voor elk wat wils ten gehore. Discomuziek werd afgewisseld met langzame nummers en zelfs reggae. Haar glas was geen moment leeg, Andreas en twee meisjes van de bediening letten daar voortdurend op, bovendien liepen ze af en aan met koude en warme hapjes. Ze voelde zich licht, vrolijk en intens gelukkig. Zoiets liefs had nog nooit iemand voor haar gedaan. Dat er zo veel mensen speciaal voor haar gekomen waren, stemde haar dankbaar. Blijkbaar waren er toch meer mensen die om haar gaven dan ze altijd gedacht had. Met Guido natuurlijk voorop.

Tijdens een langzaam nummer trok hij haar mee de dansvloer op, zijn armen sloten zich stevig om haar lichaam heen. Halverwege het lied begonnen de andere mensen op de dansvloer zich terug te trekken. In plaats van door te dansen, vormden ze een kring om het paar heen, zodat Chantal en Guido ongewild het middelpunt waren. Andreas liet de rustige muziek overgaan in iets met wat meer tempo en iedereen klapte uitbundig mee.

'Zo zijn we net een circusact,' grinnikte Chantal. Ze was niet helemaal helder meer vanwege de glazen wijn die ze gedronken had, en de warmte in het zaaltje deed haar duizelen. Ze klampte zich aan Guido vast om niet om te vallen.

Dit was het juiste moment, besloot Guido. De aandacht van alle aanwezigen had hij nu tenslotte al, daar hoefde hij niet om te vragen. Bovendien was het tien voor twaalf, zag hij. Over tien minuten was Chantal echt jarig. Het was leuk als ze die bijzondere dag inging als verloofde vrouw. Zodra hun dans afgelopen was, gaf hij een seintje aan Andreas om geen nieuwe muziek aan te zetten.

'Blijven jullie even staan,' verzocht hij de gasten. Hij hield Chantal nog steeds stevig vast.

'Zoals jullie allemaal weten, vieren we vanavond alvast de vijfendertigste verjaardag van Chantal. Daar hoort een cadeau bij.'

'Dit feest is toch mijn cadeau?' vroeg Chantal.

'Er is nog meer. Iets waarvan ik hoop dat je er heel blij mee zult zijn.' Hij liet haar los en haalde het doosje uit zijn binnenzak. Daarna zakte hij op één knie terwijl hij haar strak aan bleef kijken. Chantal voelde zich wit wegtrekken. Even was ze bang dat ze zou gaan flauwvallen, maar op wonderbaarlijke wijze bleef ze stijf rechtop staan. Vanuit de mensen om hen heen klonk geroezemoes op.

'Yes!' hoorde ze Yvet hard roepen.

'Lieve Chantal,' begon Guido plechtig. Chantal begreep wat er ging komen. Haar keel werd dichtgeknepen en ze werd overvallen door pure paniek. Niet doen, niet doen, schreeuwde haar lijf. Haar mond bleef echter stil. Ze was niet in staat om een woord uit te brengen. Als gebiologeerd staarde ze naar Guido, die een heel verhaal afstak waar ze niets van begreep. Slechts zijn laatste woorden drongen luid en duidelijk tot haar door, op het moment waarop hij het doosje met daarin de gouden ring naar haar omhooghield.

'Wil je met me trouwen?'

Ze opende haar mond en sloot hem weer zonder dat er geluid uit kwam.

'Ach, ze is helemaal overdonderd van geluk,' hoorde ze Gerdien achter zich zeggen. 'Wat lief.'

Haar hersens werkten als razenden. Ze kon het niet, ze wilde het niet. Maar wat was het alternatief? Guido kwijtraken, wist ze. En met hem zijn familie, bij wie ze zich zo thuis voelde. Ze keek naar de gespannen gezichten om hen heen. Gerdien, die trots naar haar zoon keek. Yvet, breed lachend en haar duim opstekend. Adriaan, die haar lachend toeknikte. Deze mensen konden haar familie worden. Ondanks haar diepgewortelde aversie tegen het huwelijk was dat een aantrekkelijke gedachte.

'Chantal?' vroeg Guido aarzelend.

Ze richtte haar blik op hem. Guido, de man van wie ze hield. Diep in haar hart was ze kwaad omdat hij haar zo voor het blok zette, aan de andere kant wilde ze hem niet kwijt. Ze kon het hem ook niet aandoen om hem ten overstaan van alle gasten af te wijzen. Dat zou de ultieme vernedering zijn en dat had hij zeker niet verdiend. Vanuit haar ooghoeken zag ze het geschrokken gezicht van Penny. Ze schudde langzaam haar hoofd, maar Chantal had haar besluit genomen. Ze haalde diep adem voor ze hem haar antwoord gaf.

'Ja.' Het voelde of ze zichzelf verraadde, maar ze kon niet anders.

Er brak een luid gejuich los uit de kring om hen heen. Guido begon te stralen. Uiterst voorzichtig schoof hij de gouden ring met het diamantje erin om haar vinger.

'Ik hou van je,' fluisterde hij in haar oor.

Chantal glimlachte naar hem. Ze kon het op dat moment niet opbrengen om hetzelfde terug te zeggen.

Gerdien was de eerste die haar omhelsde.

'Gefeliciteerd. Ik ben zo blij dat jij mijn schoondochter wordt,' zei ze lief. 'Welkom in de familie.'

Deze woorden verwarmden Chantals kille hart. Weer verdween ze van het ene paar armen in het andere, net als in het begin van de avond. Toen had ze ervan genoten, nu voelde ze zich een huichelaar. De glimlach leek wel op haar gezicht vastgelijmd te zitten, ze had zelfs het gevoel dat ze haar kaken nooit meer normaal zou kunnen bewegen. De grote klok aan de muur tikte de laatste seconden naar de nieuwe dag af. Andreas zette opnieuw 'lang zal ze leven' in, iedereen zong mee. Het leek een herhaling van een paar uur eerder, toch was er voor Chantal niets meer hetzelfde. Ze vluchtte bijna de zaal uit naar de toiletten.

'Ah, daar hebben we de bruid.' Penny stond haar handen te wassen, ze keek Chantal vorsend aan. 'Verwacht je een felicitatie van me na ons gesprek van daarnet?'

Chantal leunde tegen de koude tegelmuur aan.

'Ik weet het niet. Op dit moment weet ik helemaal niets meer.'

'Zal ik je geheugen even opfrissen? Je hebt je zojuist verloofd en volgens mij is je aanstaande schoonfamilie al druk bezig met het plannen van de bruiloft,' zei Penny cynisch.

'Hoe kon ik nee zeggen?' Met een vertwijfeld gebaar hief Chantal haar handen omhoog. 'Dat zou een vernedering zijn voor hem.'

'Dat argument is geen al te beste basis om een huwelijk mee te beginnen.'

'Ik hou van Guido.'

'Dat klinkt al beter. Ga zo door, dan overtuig je jezelf nog wel.'

Chantal draaide de kraan open en liet het koude water over haar polsen stromen.

'Ik wil hem niet kwijt, dat is zeker. Er spelen zo veel factoren mee. Als hij het me op een rustig moment had gevraagd, met zijn tweeën, had ik dat allemaal aan hem uit kunnen leggen. Nu kon ik niet anders doen dan ja zeggen. Maar zo heel slecht voelt dat niet,' haastte ze zich erachteraan te zeggen. 'Hij overviel me er alleen verschrikkelijk mee.'

'Ik mag toch aannemen dat hij weet hoe jij over het huwelijk denkt,' merkte Penny op.

Chantal lachte kort. 'Sterker nog, tijdens onze eerste ontmoeting heeft hij me plechtig beloofd me nooit een aanzoek te zullen doen. Laat maar, dat is een lang verhaal.'

'Ik zou woest op hem zijn.'

Chantal schudde haar hoofd. 'Dat is het goede woord niet. Ik ben overrompeld, geschrokken, verward...'

'Teleurgesteld?' hielp Penny haar fijntjes.

'Een beetje,' gaf Chantal toe. 'Ik dacht dat hij me beter kende. Maar dat verandert niets aan het feit dat ik van hem hou en dat ik ja heb gezegd.' Ze keek naar de glanzende ring om haar vinger. 'Vanaf nu ben ik dus een verloofde vrouw. Het is even wennen.'

'Veel plezier op de bruiloft,' zei Penny sarcastisch.

'Je klinkt alsof je boos op me bent.'

'Het zijn mijn zaken niet, je moet doen waar je jezelf goed bij voelt. Alleen, na wat je aan het begin van de avond zei, kan ik me niet voorstellen dat een verloving goed voelt voor jou. Pas op dat je jezelf niet verloochent. Je moet zelf de afweging maken of Guido dit waard is. Zo niet, zet het dan niet ten koste van alles door. Je trouwt met hem, niet met zijn familie.'

Chantal dacht aan de avond waarop ze Guido had leren kennen. Het had direct zo goed gevoeld, zo vertrouwd. Dat gevoel was in de maanden daarna niet veranderd, het was hooguit nog sterker geworden. Ze kon zich haar leven niet meer voorstellen zonder hem. Bijna alles wat eraan ontbrak, had hij aangevuld. Zijn liefde, zijn warmte, zijn gevoel voor humor, zijn realistische en relativerende kijk op veel zaken en niet te vergeten zijn zorgzaamheid, dat waren allemaal aspecten waar ze als een blok voor gevallen was. Dat woog allemaal ruimschoots op tegen zijn onverwachte huwelijksaanzoek, al nam ze het hem kwalijk dat hij haar zo voor het blok had gezet. Maar de rest was belangrijker.

'Jij zei net zelf dat ik hem niet te snel moet laten schieten.'

'Ik zeg niet dat je het uit moet maken, ik zeg dat je beter na moet denken voor je hem je jawoord geeft, dat is iets anders,' verbeterde Penny haar.

'Ik trouw met hem,' zei Chantal echter ineens helder. 'Guido heeft zo veel goede eigenschappen. Die afkeer van het huwelijk ligt aan mij, niet aan hem. Het wordt tijd dat ik me daar eens overheen zet.'

'Succes,' zei Penny ironisch. 'Jullie krijgen vast een geweldig huwelijk.' Het klonk echter niet alsof ze het meende.

HOOFDSTUK 12

In de gang liep Chantal tegen Guido aan, die net van het herentoilet af kwam.

'Ik zocht je al,' zei hij stralend terwijl hij haar in zijn armen ving. 'Wat een geweldig feest is het geworden, hè? Heb je het naar je zin?'

'Enorm,' antwoordde ze. Ze dwong zichzelf tot een glimlach. Ze had haar besluit genomen, ze moest zich op de toekomst richten. Een toekomst met Guido. Het kon slechter, hield ze zichzelf voor.

Gearmd betraden ze de zaal. Andreas, achter de geluidsinstallatie, drukte razendsnel een knop in, waarna de bruidsmars ineens luid opklonk. Iedereen begon te lachen en te applaudisseren.

'Een voorproefje voor wat je te wachten staat,' fluisterde Guido in Chantals oor.

Ze bleef krampachtig lachen, al had ze het gevoel of ze ieder moment kon ontploffen.

'Weten jullie al wanneer de grote dag plaatsvindt?' vroeg Gerdien.

'Geen idee,' zei Chantal.

'Zo snel mogelijk,' zei Guido tegelijkertijd. Hij drukte haar stevig tegen zich aan. 'Het liefst dit jaar nog.'

'Zo snel? En alle voorbereidingen dan?' vroeg Chantal met een licht gevoel van paniek.

'Waarom niet? Of wil je er een grote dag van maken?' wilde Guido weten.

'Ja,' antwoordde ze. Dat betekende tenminste even uitstel. Trouwens, als ze het dan toch deed, dan wilde ze het ook groots aanpakken. Een dag met alles erop en eraan. Een dag waarop ze zich even de koningin kon voelen, zoals ze vroeger als klein meisje had gefantaseerd.

'Echt?' reageerde hij verbaasd. Dat had hij nooit verwacht. Dat bewees zijn gedachten van eerder die avond meteen, dat Chantal altijd onvoorspelbaar reageerde.

'Mag ik je helpen bij het uitzoeken van een jurk?' vroeg Gerdien. 'Eerlijk zeggen als je dat liever niet hebt, hoor, maar ik dacht... Nou ja, je eigen moeder is daar niet toe in staat.'

'Dat zou ik heel fijn vinden,' zei Chantal. Daar was tenminste niets aan gelogen. Gerdien kwam heel dicht bij het beeld dat Chantal altijd van een moeder had gehad. Ze hield nu al van deze vrouw. 'Ik hoop dat je me met alle voorbereidingen wilt helpen, Gerdien.'

'Niets liever dan dat,' verklaarde haar aanstaande schoonmoeder. Ze stak haar arm door die van Chantal heen. 'Ik ben zo blij dat Guido jou heeft ontmoet,' vertrouwde ze haar toe. 'Je hoort zo vaak dat vrouwen hun man wegtrekken bij zijn ouders, of over ruzies tussen schoonouders en schoonkinderen. Bij jou hoeven we daar vast niet bang voor te zijn.'

'Ik denk eerder dat het andersom is, dat ik Chantal met geweld bij jullie weg moet houden,' plaagde Guido. 'Ze trouwt natuurlijk alleen maar met me om bij de familie te horen.'

'Daar heb je volkomen gelijk in,' knikte Chantal lachend.

Ook daar was niets aan gelogen, dacht ze stiekem bij zichzelf. Ze hield van Guido, maar haar hoofdreden om ja tegen hem te zeggen was zijn achtergrond. Het was een fijn gevoel dat zij daar nu bij hoorde, ondanks alles.

'Mag ik een dans van de aanstaande bruid?' klonk Andreas' stem achter hen. Terwijl opzwepende muziek de zaal vulde, trok hij Chantal mee de dansvloer op. 'De avond is een succes, hè?' schreeuwde hij boven de muziek uit. Hij draaide haar rond en ving haar daarna behendig op. Chantal liet zich meevoeren met zijn passen. Andreas was een uitstekende danser, ze hoefde weinig moeite te doen om hem te volgen.

'Hoe voel je je nu?' wilde hij weten.

'Overrompeld,' antwoordde ze eerlijk. 'Door alles. Eerst dit feest, toen het aanzoek. Vanmiddag dacht ik nog dat ik de avond op de bank voor de tv door zou brengen.'

'Dan is dit wel iets anders, ja,' grinnikte hij. De muziek stopte en hij nam haar mee naar de bar in de hoek. 'Even wat drinken, dat hebben we wel verdiend na deze inspanning.'

'Je danst goed,' complimenteerde ze hem.

'Ik heb vanaf mijn achtste al dansles gevolgd. Terwijl al mijn klasgenootjes aan het voetballen waren, danste ik de foxtrot en de wals. Ik was een nerd,' bekende hij.

'Dan ben je aardig opgedroogd,' lachte Chantal. Van opzij monsterde ze zijn gezicht. Andreas zag er goed uit. Niet direct knap, maar wel aantrekkelijk met zijn smalle gezicht en gulle lach. Hij was lang, mager en verschrikkelijk lenig, had ze net gemerkt. Als ze vrijgezel was geweest, zou ze zeker werk van hem hebben gemaakt. Hier stokten Chantals gedachten. Ze was geen vrijgezel. Over een paar maanden zelfs officieel niet meer. Het zweet brak haar uit. Zou ze het echt kunnen, haar leven verbinden aan een ander? Ook al was die ander Guido, die ze een week eerder nog had bestempeld als haar soulmate? Het voelde of ze in een hoek gedreven werd. Tegelijkertijd sprak ze zichzelf bestraffend toe dat ze zich niet zo moest aanstellen. Ze was tenslotte vijfendertig, geen onbezonnen achttienjarige. Als Guido dat aanzoek niet had gedaan, was het waarschijnlijk nooit in haar hoofd opgekomen om Andreas als potentiële partner te bekijken. Dat deed ze nu alleen maar omdat die weg afgesneden was. Een paar uur geleden was het haar vrije keus geweest om Guido trouw te blijven, nu voelde het als iets wat moest. Afgedwongen en daardoor minder waardevol. Allemaal psychologische onzin, hield ze zichzelf voor. Op hun eerste avond had ze al het gevoel gehad dat Guido de man van haar leven was, ze moest zichzelf juist gelukkig prijzen dat hij dezelfde gevoelens had ten opzichte van haar. Het was behoorlijk vleiend als een man ten overstaan van iedereen te kennen gaf dat hij de rest van zijn leven bij je wilde blijven.

'Op jullie geluk,' zei Andreas. Hij hief zijn glas naar haar omhoog. 'Jammer dat je nu verloren bent voor de mannelijke helft van de mensheid. Stiekem hoopte ik dat je Guido zou afwijzen, dan zou ik je zelf mee uit gevraagd hebben.'

'Je bent dronken,' wees Chantal hem terecht.

'Maar ik weet nog wel wat ik zeg.' Hij knipoogde naar haar. 'Even serieus, Chantal. Ik hoop dat jullie samen heel gelukkig worden. Guido verdient het, hij is een fijne vent en hij is stapelgek op je. Ik heb hem nog nooit zo meegemaakt.'

'Ik hou ook van hem.'

Andreas boog zich iets naar haar toe. 'Dan mag je weleens wat gelukkiger kijken. Een aanstaande bruid hoort te stralen. Jij ziet eruit alsof die glimlach opgeplakt is. Je ogen doen niet mee.'

Geschrokken week Chantal achteruit. Kon die Andreas gedachten lezen of zo?

'Je bent gek,' zei ze afwijzend. Tot haar grote opluchting zag ze Guido op haar af komen.

'Kom schat, de laatste dans is voor ons samen,' zei hij. Galant hielp hij haar van de barkruk af.

Gewillig nestelde Chantal zich in zijn armen, ze voelde echter de ogen van Andreas in haar rug prikken. Was ze zo doorzichtig of bezat hij een grote opmerkingsgave, vroeg ze zich af. Guido leek in ieder geval niets aan haar te merken, hij zag eruit alsof hij zojuist de hoofdprijs in een loterij had gewonnen. Zijn lach reikte bijna van oor tot oor en daar was niets onechts aan.

'Je hebt me vanavond de gelukkigste man op aarde gemaakt,' zei hij zacht in haar oor. 'Weet je dat ik tot op het laatste moment getwijfeld heb of ik je de grote vraag wel moest stellen? In het begin van onze relatie stond je er zo afwijzend tegenover.'

'Waarom deed je het dan toch?' vroeg Chantal nieuwsgierig.

'Omdat ik de laatste tijd merkte dat je afweer afbrokkelde. Je maakte vaak opmerkingen in die richting, daardoor heb ik genoeg moed verzameld.' Hij lachte zachtjes. 'Gelukkig maar.'

'Wat zou je gedaan hebben als ik nee had gezegd?' vroeg ze zich af.

'Daar durfde ik niet eens over na te denken. Ik had er genoeg vertrouwen in. Niet ten onrechte, zoals is gebleken.'

'Toch was die kans aanwezig,' hield Chantal vol. 'Dan had je daar gestaan, ten overstaan van al die mensen.'

'Het zou de avond goed verziekt hebben,' grinnikte hij. 'Laten we er maar niet verder over doordenken, dat is gelukkig niet aan de orde.'

De muziek stopte en de grote lichten floepten aan. De gasten begonnen aanstalten te maken om te vertrekken. Gerdien omhelsde Chantal hartelijk.

'Jammer dat de avond voorbij is, maar gelukkig hebben we nog iets leuks in het verschiet. Ik bel je van de week zodat we een lijst kunnen maken met alles wat je op je trouwdag wilt.'

'Dag dochter,' zei Adriaan lief. 'Kom snel weer eens langs.'

'Doen we,' beloofde Chantal.

Voor de derde keer die avond werd ze door al haar gasten gekust. Ze had nog nooit eerder in haar leven zo veel zoenen op één avond gekregen.

'Tot aan de bruiloft!' riep een jolige neef van Guido bij het afscheid.

Penny was een van de laatsten die wegging.

'Bedankt dat je gekomen bent,' zei Chantal. 'We

kennen elkaar eigenlijk amper, maar ik vond het echt fijn dat je erbij was. Laten we snel weer eens iets gaan drinken samen. Het is altijd prettig om met jou te praten.'

'Ik heb het gevoel dat ik jou heel goed ken,' zei Penny ernstig. 'Vandaar mijn opmerkingen daarnet. Ik zie je twijfelen en daar maak ik me zorgen om. Het in stand houden van een huwelijk is al moeilijk genoeg als je er allebei honderd procent achter staat.'

'Spreek je uit eigen ervaring?' vroeg Chantal spits.

'Het is niet altijd even makkelijk,' gaf Penny toe. 'Maar dat geeft niet, dat hoort erbij. Twee levens samenvoegen vergt van beide kanten aanpassingen en het gaat echt niet altijd van een leien dakje. De wil moet er echter wel zijn, anders is het bij voorbaat gedoemd tot mislukken.'

'Ik wil het willen,' zei Chantal cryptisch.

'Hm, ik weet niet of dat genoeg is. Zet alsjeblieft geen overhaaste stappen, daar krijg je alleen maar spijt van. Als je erover wilt praten, je hebt mijn telefoonnummer. Wij zijn van het begin af aan de diepte in gegaan met onze gesprekken,' nodigde Penny uit.

'Ik laat het eerst even bezinken,' zei Chantal.

Andere mensen die afscheid wilden nemen, vroegen haar aandacht. Toen ze even later omkeek, zag ze dat Penny weg was. Een vreemd gevoel van verlatenheid overviel haar. Het was fijn dat er zo veel mensen naar haar feestje waren gekomen, maar de enige met wie ze écht contact had, was Penny, hoe vreemd dat ook klonk gezien het feit dat ze elkaar pas een paar keer gesproken hadden en ze zelfs nog nooit bij elkaar thuis waren geweest.

Met de arm van Guido om haar heen verliet ze even later het café. Ze had een kater, en niet alleen van de alcohol.

Penny reed in haar eentje door de donkere stad terug naar huis. Ze was veel langer gebleven dan in eerste instantie haar bedoeling was geweest. Het was een rare avond geweest, peinsde ze. Wat was dat toch met haar en Chantal? Twee vreemden die wonderlijk goed met elkaar door één deur konden. Chantal was niet eens boos geworden om alles wat ze gezegd had. Dingen die een willekeurige kennis niet hoorde te zeggen. Dergelijke waarschuwingen en opmerkingen pikte je normaal gesproken alleen van je beste vrienden of naaste familieleden. Toch had hun gesprek heel normaal geleken op dat moment. Penny had gezien hoe Chantal na Guido's aanzoek had geworsteld met zichzelf voordat ze haar antwoord gaf, hoewel dat anderen wellicht niet was opgevallen.

Penny dacht terug aan het huwelijksaanzoek dat Huug haar destijds had gedaan. Ze kenden elkaar toen nog niet eens zo lang, toch had ze geen moment geaarzeld bij die grote vraag. Met heel haar hart had ze daar juichend ja op geantwoord, zonder een spoortje twijfel. Dat gunde ze Chantal ook zo graag. Hoewel haar eigen huwelijk ook niet bepaald het toonbeeld van een successtory was... Voornamelijk door haar toedoen, dat durfde Penny best toe te geven. Zij had het nu eenmaal altijd druk en daardoor schoten Huug en de kinderen er nog weleens bij in. Ondanks hun talloze ruzies over dat onderwerp leek ze daar geen verandering in te kunnen brengen. Dat wilde ze ook niet, als ze heel eerlijk was. Ze had die drukte en hectiek nodig, alsof ze werd voortgedreven door onzichtbare krachten. Nietsdoen was geen optie, dan verzandde ze alleen maar in gepieker. Zolang ze bezig was, kon ze net doen of dat gat in haar hart niet bestond. Dat vage gevoel van gemis, dat voortdurend bij haar was zonder dat ze het kon benoemen en zonder dat ze wist waar het vandaan kwam. Misschien moest ze toch eens met haar ouders praten over vroeger. Wellicht hadden zij er wel een verklaring voor. Penny had een dergelijk gesprek nooit aangedurfd, bang voor wat ze te horen zou krijgen. Het enige wat ze wist, was dat ze geadopteerd was omdat haar biologische moeder vlak na haar geboorte was overleden. Haar vader was nooit in beeld geweest. De verhalen over hem waren vaag, Penny had eruit begrepen dat hij ervandoor was gegaan toen haar moeder zwanger bleek te zijn. Een echt uitzonderlijk verhaal was het niet en Penny had het altijd voor kennisgeving aangenomen. Behoefte om haar biologische vader op te sporen had ze nooit gevoeld. Maar misschien kwam die leegte toch daarvandaan. Huug had vaker zoiets gezegd, maar Penny had er nooit iets van willen weten. De laatste tijd merkte ze echter dat ze steeds vaker met het verleden bezig was, zonder dat ze dat wilde. Op de een of andere manier kon ze het niet van zich afzetten, hoezeer ze daar haar best ook voor deed. Van de weeromstuit stortte ze zich meer en meer op haar werk, in een poging die gedachten te verdringen. Het gevolg daarvan was weer ruzie met Huug. Een vicieuze cirkel die moeilijk te doorbreken was. Vaak had ze het gevoel dat ze in haar eentje ronddoolde in een donkere kamer, met haar armen maaiend om ergens houvast te vinden.

Ondanks het late uur was Huug nog op. Hij zat in de huiskamer aan de grote tafel te tekenen, een van zijn favoriete hobby's.

'Waar was je?' was het eerste wat hij vroeg.

'Op een feestje. Ik had geen zin om de hele avond in mijn eentje te zitten.' Penny gooide haar tas op de grond, schopte haar schoenen uit en plofte op de bank.

'Je had het even kunnen laten weten,' verweet hij haar zachtzinnig.

Ze trok onwillig met haar schouders. 'Waarom? Jij was degene die zei dat we allebei onze eigen gang konden gaan.'

'Niet op die manier, dat weet je best.' Huug zuchtte en schoof het vel papier van zich af. 'Ik denk dat ik maar naar bed ga. Morgen zijn de kinderen weer vroeg op.'

Hij stond op en wilde de kamer uit lopen.

'Huug, moet het echt zo gaan?' vroeg Penny ineens hulpeloos.

'Wat bedoel je?' vroeg hij met de deurknop al in zijn hand.

'Doe niet of je dat niet weet. Kom nog even zitten, dan drinken we iets.'

Huug verstrakte. 'Als ik alleen goed genoeg ben om de kruimeltjes van je tijd op te vullen, hoeft het voor mij niet.'

'Ik doe mijn best,' zei ze zacht.

'Daar merk ik weinig van. Je bent er nooit als de kinderen of ik je nodig hebben, maar nu jij even tijd hebt, verwacht je dat ik meteen tot je beschikking sta.'

Penny maakte een moedeloos gebaar met haar hand. 'Dan niet. Welterusten.'

In weerwil van die woorden ging hij naast haar zitten. 'Je kunt niet zeggen dat ik geen gelijk heb.'

'Chantal is vanavond ten huwelijk gevraagd door haar vriend,' zei Penny zonder op zijn woorden in te gaan. 'Dat deed me terugdenken aan vroeger. Weet je nog hoe gelukkig we waren?'

'Ik ben nog steeds gelukkig met jou,' zei Huug.

Ze keek verrast op. Een dergelijk compliment had ze nu zeker niet verwacht.

'Werkelijk?'

'En ik zou nog veel gelukkiger zijn als dat wederzijds was. Als je af en toe liet merken dat jij je ook nog steeds fijn voelt bij mij, dat je graag in mijn gezelschap bent,' ging Huug verder. 'Ik krijg echter meer en meer het gevoel dat je me ontloopt. Je doet enorm je best om zo weinig mogelijk thuis te zijn. Dat kan onmogelijk aan onze kinderen liggen, dus trek ik me dat persoonlijk aan.'

'Huug, nee!' Penny greep zijn arm vast. 'Hoe kun je dat nu denken? Ik hou van je.'

'Dat geloof ik wel, maar ik begrijp het niet. Als je van iemand houdt, wil je toch graag samen tijd doorbrengen. Ik voel me afgewezen, Penny.'

'Dat wist ik niet,' zei ze zacht.

'Ik kan het onmogelijk anders voelen. Je hebt altijd een excuus om niet thuis te komen. De kinderen missen je ook. Ik ving vanmiddag een gesprek tussen Julian en mijn moeder op. Hij is bang dat we gaan scheiden. Eigenlijk dacht hij dat je al ergens anders woonde.'

Getroffen staarde ze hem aan. 'Dat verzin je,' fluisterde ze hees.

Huug schudde zijn hoofd. 'Was het maar waar. Je moet toch toegeven dat het de laatste tijd de spuigaten uitloopt met je werk.'

'Het was een drukke periode, ja, met een zieke en Romano op vakantie. Maandag begint hij weer, dan krijg ik het iets rustiger.'

'Dan wacht ik maar af of je die vrije tijd aan ons gaat besteden of dat je weer een ander project opstart.' Huug stond opnieuw op, nu liep hij wel de kamer uit.

Penny bleef achter. Ze was oprecht geschrokken van wat Huug had gezegd. Ondanks haar eerste reactie trok ze zijn woorden geen moment in twijfel, want Huug was er de man niet naar om dit soort dingen te verzinnen of te overdrijven.

Ze maakte er een puinhoop van, besefte ze. Vanavond had ze Chantal nog advies gegeven, alsof zij de expert in relaties was, dacht ze spottend bij zichzelf. Chantal kon háár beter vertellen hoe ze haar huwelijk moest redden. Als ze nu niet heel erg oppaste, ging het fout, dat was wel duidelijk. In de loop der jaren was ze steeds meer en steeds harder gaan werken omdat die leegte iedere keer de kop weer opstak. Het werd nu toch echt tijd dat ze ging uitzoeken waar dat vandaan kwam en, belangrijker nog, dat ze een manier vond om ermee om te gaan voordat haar gezin hier helemaal de dupe van werd. Ze had al te lang gewacht als haar eigen zoon zelfs dacht dat ze niet meer thuis woonde. Haar hart draaide om bij dit besef.

Morgen – of eigenlijk vandaag al, want het was diep in de nacht – ging ze in ieder geval iets leuks doen met haar gezin, nam ze zich voor. Het was haar verjaardag. Ook al vierden ze die niet, het was een prima excuus om met de kinderen naar een overdekte speeltuin te gaan en later met zijn allen pannenkoeken te eten.

Penny stond op om naar bed te gaan. Lopend langs de tafel wierp ze een blik op de tekening die er nog lag. Getroffen bleef ze staan. Het was haar gezicht dat haar vanaf het papier aankeek, maar anders dan ze via de spiegel iedere dag zag. De vrouw van de tekening had harde ogen en een afwijzende trek op haar gezicht. Zag Huug haar zo? Hard, berekenend, emotieloos? Penny werd ineens duizelig, ze moest zich aan de stoel vastgrijpen om niet om te vallen.

Er moest echt iets veranderen.

HOOFDSTUK 13

Penny werd 's ochtends wakker door geluiden uit de keuken. Huug kennende was hij het ontbijt aan het klaarmaken. Een blik op de wekker vertelde haar dat het nog vrij vroeg was. Halfnegen, ze had dus nog geen zes uur geslapen. Meestal werd ze later wakker op zondag, in de zalige wetenschap dat Huug zich om de kinderen bekommerde. Wat eigenlijk niet eerlijk was, dacht ze daar schuldbewust achteraan. Hier in huis kwam werkelijk alles op Huug neer. Hij klaagde daar overigens nooit over. De beslissing om zijn baan op te zeggen en fulltimehuisman en -vader te worden, had hij met volle overtuiging genomen. Hij maakte haar ook nooit verwijten over het feit dat zij de taken thuis ontliep. Toch zou het niet meer dan normaal zijn als zij ook haar steentje bijdroeg. Vroeger had ze zich altijd voorgenomen om zich op dat gebied niet te laten ondersneeuwen door een man. Haar eventuele echtgenoot zou net zo goed als zij moeten aanpakken in het huishouden. Wanneer was ze zo doorgeslagen naar de andere kant? Waar was haar overtuiging gebleven dat het huishouden een soort bedrijf was dat man en vrouw samen moesten runnen? Als Huug de kostwinner van hun gezin was geweest en zij de huisvrouw, had hij het haar niet moeten flikken om zich er volledig uit terug te trekken, wist ze. Op dat gebied maakte hij echter nooit verwijten, die beperkten zich tot de spaarzame tijd die ze in het gezin stak.

Hoewel de verleiding groot was om zich om te draaien en nog een paar uur verder te slapen, stapte Penny toch haar bed uit. Ze had zich nu eenmaal voorgenomen om te veranderen en dat ging niet lukken als ze daar geen energie in stak. Haar huwelijk en haar gezin waren haar meer waard dan een paar uur slaap, al wierp ze nog een verlangende blik op het bed voor ze de slaapkamer verliet.

Huug keek verrast op toen ze de keuken in kwam.

'Jij al wakker? Dat is een zeldzaamheid op dit tijdstip. Ik had je willen verrassen met ontbijt op bed om een uur of tien, vanwege je verjaardag. Gefeliciteerd, schat.' Hij gaf haar een tedere kus.

'Het leek me gezelliger om met zijn allen te ontbijten. De kinderen zitten zeker voor de tv voor hun gebruikelijke zondagochtendprogramma?'

'Julian en Tessa wel. Sarah was vroeg wakker en slaapt nu weer. Wil je al koffie?'

'Lekker. Zal ik dan de broodjes afbakken?' stelde Penny voor.

Hij keek haar even sceptisch aan. 'Weet je hoe de oven werkt?'

'Hé, niet overdrijven.' Ze gaf hem een speelse duw.

'Ik kan me anders de keer nog herinneren dat je sla wilde wassen in de ijsmachine.'

'Dat kwam omdat ik nog nooit een ijsmachine had gezien. Ik had werkelijk geen idee wat het was, maar het leek op een slacentrifuge.' Penny lachte bij de herinnering. Huug had de ijsmachine jaren geleden gekocht en uitgepakt op het aanrecht gezet, waar zij hem vond toen ze het eten voor die avond klaar wilde maken. Ze hadden samen enorm veel plezier gehad toen ze hem nijdig voor de voeten had gegooid dat de slacentrifuge een miskoop was en dat ze de sla beter met de hand kon wassen. Ze was er nog jaren mee geplaagd.

Eensgezind dekten ze de grote tafel in hun eetkeuken terwijl de oven zijn werk deed en een heerlijke, huiselijke geur verspreidde. Daarna dronken ze samen koffie voor ze de kinderen riepen om te komen ontbijten.

'Wat gezellig, zo een paar minuten met zijn tweeën,' genoot Huug. 'Dat heb ik echt gemist, weet je dat? Zo langzamerhand is de gewoonte erin geslopen dat jij uitslaapt op zondag, maar dit is veel fijner.'

'Misschien moet je wat minder rekening met me houden. Maak me voortaan maar gewoon wakker,' zei Penny.

'Ik kan me voorstellen dat je na een drukke werkweek graag een keertje uitslaapt. Dat is ook niet erg, zolang je ons maar niet het gevoel geeft dat we er niet toe doen voor je,' haakte Huug daar ernstig op in. 'Je kunt zo geïrriteerd reageren als we je aandacht vragen. Ik verlang heus niet van je dat je stopt met werken om al je liefde en zorg uit te spreiden over je gezin, en ik begrijp dat werktijden niet vastliggen met een eigen bedrijf, maar als je er bent moet je er ook echt zijn. Niet alleen lichamelijk aanwezig, maar helemaal. Als deel van dit gezin, niet als een toevallige kostganger. Je draaft de laatste tijd echt door.'

Penny knikte bedachtzaam. 'Datzelfde heb ik gisteravond ook bedacht. Ik ben zo rusteloos, zo gejaagd. Dat probeer ik kwijt te raken door me op mijn werk te storten, maar daarbij verlies ik jullie uit het oog. Ik weet het, maar het is zo moeilijk. Zo verwarrend ook. Ik kan zelf niet goed onder woorden brengen wat ik voel en wat me beweegt.'

'Misschien moet je eens met een psycholoog gaan praten,' stelde Huug voor. 'Ik kan je hier niet bij helpen. Ik kan me niet eens voorstellen dat je iets mist, zoals je zelf altijd aangeeft. Je leven is overvol, wat moet daar nog bij?'

'Wist ik het maar. Ik vraag me steeds vaker af of ik de oorzaak toch niet in het verleden moet zoeken. Iets in mijn prilste jeugd. Zoiets hoor je wel vaker.'

'Volgens mij heb jij niets gemist in je jeugd.'

'Behalve dan een eigen vader en moeder,' zei Penny ironisch. 'Een eigen familie. Ik heb geen bloedband met de mensen die officieel mijn familie vormen. Ik weet niet eens zeker of er ergens op deze wereld mensen rondlopen die familie van me zijn.'

'Ga dan eens op zoek. Spoor ze op en zoek uit of zij het gemis in je leven op kunnen vullen. Het is mij en de kinderen duidelijk niet gelukt.' Dat laatste klonk wrang.

Penny legde haar hand op zijn arm. 'Ik weet dat ik er niet altijd naar handel, maar jij, Julian, Tessa en Sarah zijn de essentie van mijn bestaan. Zonder jullie zou mijn leven pas echt leeg zijn, daar ben ik me echt wel van bewust. Jullie dichten alleen niet het héle gat en daar krijg ik steeds meer last van.'

'Dan moet je actie ondernemen. Praat eens met je ouders, wellicht weten die meer. Ze hebben je van kleins af aan verteld dat je geadopteerd bent, maar voor de rest is er nooit over gesproken. Je weet totaal niets van je afkomst, behalve dan dat je moeder dood is en je vader onbekend.'

'Dat heb ik zelf ook al bedacht, maar dan zal ik toch moeten wachten tot ze terug zijn van de reis die ze momenteel maken. De zoveelste reis. Dit is geen onderwerp dat je telefonisch of via de computer bespreekt.'

'Misschien kunnen Victoria en Lucas je meer vertellen. Zij waren al wat ouder toen jij in hun gezin kwam.'

'Vast niet. Tenslotte waren ze toen zelf nog kinderen,' dacht Penny. 'Mijn band met hen is overigens niet van dien aard dat ik zo'n zwaar gesprek wil aangaan. Lucas zie of spreek ik bijna nooit en met Victoria kom ik niet verder dan oppervlakkige praatjes.'

'Dat ligt niet alleen aan hen,' merkte Huug op.

'We klikken gewoon niet. Vroeger al niet. Ik heb er altijd enigszins buiten gestaan. Soms vraag ik me af waarom mijn ouders me geadopteerd hebben. Hun gezin was al compleet, met een zoon en een dochter. Wat was er voor bijzonders aan mij dat ze mij erbij wilden hebben?'

'Daar kom je alleen achter door het hun te vragen,' meende Huug terecht.

'En dat moet dus wachten. Nou ja, laten we het er nu maar niet meer over hebben. Het is zondag, we zijn vrij en we gaan iets leuks doen,' besloot Penny. 'De broodjes zijn klaar. Roep jij de kinderen?'

Julian en Tessa kwamen stoeiend de keuken binnenrollen. Julians gezicht verhelderde bij het zien van zijn moeder.

'Mama, je bent er weer,' zei hij blij terwijl hij op haar schoot klom.

'Natuurlijk ben ik er. Ik woon hier toch?' probeerde Penny luchtig te zeggen. Er schoot echter een brok in haar keel. Ze deed haar kinderen echt tekort, dat bewijs werd nu wel geleverd. Ze merkte het ook aan Tessa, die in tegenstelling tot Julian juist niet bij haar wilde komen zitten. Ze worstelde om los te komen toen Penny haar armen om het kind heen sloeg.

'Wil niet,' zei ze ongeduldig.

Even later kroop ze wel dicht tegen Huug aan, om hem te vertellen wat er allemaal gebeurd was in de tekenfilm die ze net gezien had. Het gaf Penny een pijnlijke steek in haar borst. Maar het was haar eigen schuld, Huug had haar daar vaak genoeg op gewezen. Waarom had ze dat nooit ingezien? Ze mocht haar handen dichtknijpen met een man als Huug, die een eindeloos geduld voor haar opbracht, dacht ze berouwvol. Hij verdiende een betere vrouw dan zij. Weer nam ze zich voor het voortaan anders, beter te doen.

In de praktijk kwam er van dat voornemen echter niet zo veel terecht. Ze probeerde het wel, maar vond in zichzelf niet de rust om er echt voor haar gezin te zijn. Het dagje speeltuin met daarna eten in het pannenkoekrestaurant werd een succes, diezelfde avond dwaalden haar ogen echter alweer naar haar laptop. Die ochtend had ze resoluut haar BlackBerry uitgezet, nu kon ze bijna niet wachten om het apparaat weer aan te zetten om te kijken wat ze gemist had. Het was lang geleden dat ze zo veel uren achter elkaar niet had gewerkt of op zijn minst haar berichten had gecheckt. Het voelde als een opoffering.

De week erna ging het al niet veel beter. Twee onverwachte besprekingen met potentiële nieuwe klanten eisten haar aandacht volledig op, en ze miste woensdagavond de avondmaaltijd thuis omdat ze zo verdiept was in het maken van een presentatie dat ze de tijd volledig vergat. Vrijdagavond was er een receptie bij een van hun opdrachtgevers waar ze onmogelijk weg kon blijven, en op zaterdag werd er een reclamefilmpje gedraaid waarbij ze erop toe wilde zien dat het precies zo werd als ze in gedachten had. Huugs suggestie dat Romano dat ook kon doen, wees ze van de hand.

'Dit is mijn project, ik heb het van het begin af aan begeleid en me ervoor ingezet. Ik weet exact hoe het eindresultaat eruit moet zien en daar wil ik geen concessies aan doen,' zei ze.

Ze vertrok die zaterdag al vroeg naar de locatie waar het spotje werd opgenomen en kwam pas laat weer thuis, moe van de lange dag die ze achter de rug had. Huug zag met lede ogen toe hoe haar aandacht afdwaalde terwijl Julian haar enthousiast vertelde wat hij die dag allemaal gedaan had. Hij wist vrijwel zeker dat ze er geen woord van opnam, al knikte ze af en toe plichtmatig. Penny daar opnieuw – voor de zoveelste keer – op wijzen had geen zin, wist hij. Dat liep of uit op ruzie, of op beloften die ze toch niet nakwam. Van allebei had hij zijn buik inmiddels vol. Na hun gesprek vorige week had hij er echt vertrouwen in gehad dat ze zou veranderen, maar de afgelopen dagen werd hij daar keer op keer in teleurgesteld. Misschien waren zijn verwachtingen niet realistisch en moest hij haar meer tijd geven. Eén ding wist hij wel zeker: als Penny zelf niet op zoek ging naar haar achtergrond, zou hij het doen, nam hij zich grimmig voor. Dat ongrijpbare 'iets' waardoor ze vluchtte in talloze bezigheden, moest eens een verklaring krijgen.

De geplande trouwdatum van Chantal en Guido naderde met rasse schreden. Het was 21 maart geworden, de eerste dag van de lente. Guido had eerder gewild, het was Chantal die bedongen had er een lentebruiloft van te maken. Samen met Gerdien was ze druk bezig met de voorbereidingen. Het stadhuis was besproken, de fotograaf geboekt en het diner in een restaurant met aansluitend een feestavond was geregeld. Harold zou de dag op film vastleggen. Hij was een enthousiaste hobbyfilmer en had dit zelf aangeboden.

Chantal had gemengde gevoelens bij het regelen van al dit soort zaken. Ze was nog steeds niet met zichzelf in het reine wat betreft dit huwelijk. Ze hield ontzettend veel van Guido, maar bij de gedachte dat ze hem straks een levenslange belofte moest doen, kreeg ze het nog steeds benauwd. Haar gevoel kwam ertegen in opstand, al probeerde haar verstand haar te vertellen dat ze niet zo raar moest doen. Het was de normaalste zaak van de wereld dat twee mensen met elkaar trouwden als ze van elkaar hielden. Ze begreep dan ook zelf niet wat haar bezielde, maar echt genieten van de aanloop tot haar trouwdag lukte haar in ieder geval niet. Constant zeurde er een stemmetje in haar achterhoofd dat ze dit niet wilde. Ze had 'ja' gezegd onder druk van de omstandigheden van die avond, niet uit eigen vrije keuze.

De feestdagen brachten ze bij Gerdien en Adriaan door, waar het een drukte van belang was met aanlopende familieleden. Chantal voelde zich zo volledig in deze familie opgenomen dat dit haar alweer verzoende met alles wat er zo plotseling in haar leven gebeurde. Na hun logeerpartij van een week was ze echter ook dolblij om weer alleen in haar eigen huis te zijn. Heerlijk tussen haar eigen spulletjes, met niemand om zich heen met wie ze rekening hoefde te houden. Hoeveel ze ook van Guido hield, zijn voortdurende aanwezigheid tijdens de dagen bij zijn ouders werd haar soms gewoon te veel. Ze had het nodig om af en toe alleen te zijn met haar gedachten.

Straks zou ze nooit meer alleen zijn, schoot het haar ineens door het hoofd terwijl ze haar koffer uitpakte. Dan woonde ze met Guido in één huis en was hij er altijd. Iedere avond, iedere nacht. Iedere ochtend bij het opstaan. Iedere minuut van iedere vrije dag. Het zweet brak haar uit bij deze wetenschap. Ze keek om zich heen in haar vertrouwde flatje. Klein, maar zo vertrouwd. Dit was al jaren haar eigen plekje, waar ze zich af en toe heerlijk even kon terugtrekken uit de wereld. Het behang op de muren had ze er eigenhandig op geplakt, het houtwerk zelf geverfd. Het was niet feilloos gedaan, toch was ze er trots op. De meubeltjes had ze in tweedehandswinkels gekocht en zelf naar haar eigen smaak opgeknapt. Ze had hier echt haar eigen omgeving gecreëerd. In Guido's huis zou ze zich nooit zo thuis voelen, dat wist ze al van tevoren.

Ze hadden besloten dat Chantal voorlopig bij Guido zou intrekken en dat ze vanuit zijn huis na de bruiloft op zoek zouden gaan naar een grotere woning. Haar flat was echt te klein voor twee personen. Die mogelijkheid had ze trouwens nooit serieus overwogen. Het was altijd fijn als Guido bij haar bleef slapen, maar ze moest er niet aan denken om haar flatje constant met hem te delen. Ze wilde niet voortdurend op haar huid gezeten worden en dat gevoel gaf Guido haar weleens als hij bij haar was. Als hij weer wegging, vond ze dat eigenlijk net zo fijn als wanneer hij kwam. Aan de andere kant zag ze zichzelf ook niet van harte bij Guido wonen. Dat was iets waar ze naartoe moest groeien, hield ze zichzelf voor.

Zijn voorstel dat ze alvast bij hem zou komen wonen, sloeg ze dan ook af.

'Waarom niet?' vroeg hij oprecht verbaasd. 'Je bent hier nu al vaak. Of je nou in januari bij me intrekt of in maart, wat is het verschil?'

Twee maanden, dacht Chantal bij zichzelf. Twee maanden van uitstel. Dat zei ze echter niet hardop.

'Na de bruiloft is het leuker,' verklaarde ze.

'Is dat niet een beetje ouderwets?' grinnikte Guido. 'Dat had ik nooit achter jou gezocht. Jij bent helemaal geen vrouw van tradities en regeltjes.'

'Als we het toch doen, dan doen we het goed,' zei Chantal. 'Eigenlijk zouden we voor die tijd helemaal niet bij elkaar moeten slapen. Dat hoort niet, seks voor het huwelijk,' plaagde ze hem.

'Te laat.' Guido trok haar naar zich toe en overlaadde haar gezicht met zoenen. Het duurde even voor ze weer tot een normaal gesprek in staat waren.

'Even serieus,' zei Guido toen. 'Wat houdt je tegen? Persoonlijk wil ik niets liever dan dag en nacht bij jou zijn. Dat voortdurende heen en weer trekken tussen jouw woning en de mijne begint me op te breken. Ik wil graag een vaste plek voor ons samen.'

'Die twee maanden kunnen er ook nog wel bij,' zei Chantal luchtig.

'Natuurlijk, maar ik begrijp de reden niet.'

'Ik vind het best moeilijk om mijn eigen flatje op te doeken,' antwoordde ze nu toch eerlijk. 'Het is echt mijn eigen plekje. Ik heb er veel werk aan gehad om het helemaal naar mijn zin te krijgen. Het is verre van perfect, dat weet ik wel, maar wel van mij.'

'Je mag hier alles veranderen wat je wilt, zodat je van dit huis ook je eigen plek kunt maken,' bood Guido aan.

'Dat gaat niet zomaar, dat kost tijd,' zei Chantal afwerend.

Ze keek hem niet aan, maar bepaalde haar aandacht bij het glas drinken dat hij haar had overhandigd.

Guido ging naast haar zitten, pakte haar gezicht vast en draaide het zijn kant op, zodat ze zijn ogen niet langer kon ontwijken.

'Wil jij eigenlijk wel met me trouwen en samen in één huis wonen?' vroeg hij rechtstreeks. 'Je gedraagt je een beetje raar de laatste tijd. Ik kan er niet goed de vinger op leggen, maar anders dan ik van je gewend ben. Afstandelijker.'

'Ik heb het druk met de voorbereidingen van de bruiloft en alle administratieve rompslomp die daarbij komt kijken,' ontweek Chantal.

'Dat is geen antwoord op mijn vraag,' hield hij aan.

Chantal keek in zijn warme, liefdevolle ogen, waar nu spanning en angst in te lezen was. Haar hart kromp even samen. Het eerste antwoord dat in haar opkwam, 'nee', kon ze niet over haar lippen krijgen. Ze hield van deze man, ze kon hem niet bewust pijn doen. Daar was ze te laat mee, het was al veel te ver uit de hand gelopen om nu terug te krabbelen.

Ze dwong zichzelf tot een glimlach.

'Natuurlijk wil ik dat, ik hou van je,' zei ze.

Met een zucht van verlichting trok Guido haar naar zich toe.

'Ik was even heel bang dat je alsnog alles zou afblazen,' bekende hij ergens boven haar hoofd. 'Dat ik toch te voorbarig was geweest met mijn aanzoek. Wij gaan samen heel erg gelukkig worden, Chantal.'

Chantal zei daar niets op terug. Zwijgend leunde ze tegen hem aan, zichzelf verwensend omdat ze weer niet eerlijk tegen hem was geweest. Maar ze kon het niet. Hij was haar veel te dierbaar om hem in een hoek te trappen. Ze wilde hem niet kwijt. Maar ze wilde ook niet met hem in één huis wonen en hem vierentwintig uur per dag om zich heen hebben.

HOOFDSTUK 14

'Dus dat is dan afgesproken. Volgende week krijgt u de eerste presentatie,' zei Penny. Ze wierp tersluiks een blik op haar horloge. Deze bespreking was vlotter verlopen dan ze verwacht had. Romano verwachtte haar in principe niet voor de lunch terug op kantoor. Ze besloot dan ook even bij Chantal langs te gaan in de zonnestudio. Sinds de surpriseparty voor haar verjaardag hadden ze elkaar maar een paar keer vluchtig gesproken. Misschien konden ze samen ergens lunchen. Ze was benieuwd hoe het ervoor stond met de voorbereidingen voor het huwelijk, dat niet lang meer op zich liet wachten. De officiële uitnodiging ervoor had Penny al binnengekregen. Ze had hem met gemengde gevoelens gelezen. Te goed herinnerde ze zich hun gesprek in de toiletruimte destijds en de blik van paniek in Chantals ogen bij Guido's onverwachte aanzoek. Ze kon zich niet goed voorstellen dat Chantal er inmiddels voor honderd procent achter stond en dat ze met volle overtuiging ja zou zeggen als de ambtenaar van de burgerlijke stand straks in het stadhuis de grote vraag aan haar stelde. Het leek haar een wankel begin van een leven samen. Zelfs als je samen goed begon, kon de praktijk tegenvallen, wist ze. Het kostte haar en Huug tenminste genoeg moeite om hun huwelijksboot op koers te houden.

Chantal begroette Penny blij verrast, maar ze trok een spijtig gezicht toen Penny haar uitnodigde voor de lunch.

'Ik kan niet, ik heb met mijn aanstaande schoonmoeder afgesproken. Vanmiddag ben ik namelijk vrij, want ik heb nog steeds geen trouwjurk. We hebben er een aantal op het oog, vanmiddag ga ik de definitieve keus maken.'

'Jammer, het is zo'n tijd geleden dat we echt gepraat hebben,' zei Penny teleurgesteld.

Chantal knikte. 'Ik weet het. Op mijn verjaardag, in het toilet. Daarna zijn het alleen vluchtige gesprekjes geweest. Jij bent ook zo'n drukbezet persoon.' Ze lachte erbij.

'Ik heb nu eenmaal mijn verantwoordelijkheden en niet te vergeten een gezin,' schoot Penny echter onmiddellijk in de verdediging. Dat leek inmiddels wel een tweede natuur van haar. Terwijl ze het zei was ze zich er pijnlijk van bewust dat ze dit ook regelmatig riep tegen Huug.

'Rustig maar, het was een constatering, geen verwijt. Volgens mij ligt die zin op het puntje van je tong,' zei Chantal alsof ze Penny's gedachten kon lezen.

'Het is wel een verwijt dat me vaker gemaakt wordt,' gaf Penny toe.

'Door je man?' wilde Chantal weten.

'En door jou,' hield Penny zich op de vlakte. 'Terwijl jij nu degene bent die geen tijd heeft.'

'Touché.' Chantal begon te lachen. 'Ik heb met Gerdien afgesproken in het café van Andreas. We kunnen daar nu wel vast heen gaan en samen iets drinken voordat ze komt. Hij verkoopt trouwens ook tosti's en soep. Geen culinaire hoogstandjes, wel lekker.'

'Beter dan niets, al had ik natuurlijk liever kreeft als lunch,' zei Penny nuffig.

Giechelend als tieners en gearmd alsof ze al jaren de beste vriendinnen waren, liepen ze naar het café van Andreas, enkele straten verder. Als vriend van Guido was Andreas gevraagd om zijn getuige te zijn en Chantal had hem inmiddels een aantal keren gesproken.

'Vroeger kwam ik hier nooit, tegenwoordig eet ik hier regelmatig zijn beroemde tosti's,' zei ze tegen Penny nadat ze Andreas met twee zoenen had begroet.

'Guido doet aan klantenbinding voor me,' beweerde Andreas met een knipoog naar Penny. 'Dat is een afspraak tussen ons. Hij verleidt vrouwen, zorgt ervoor dat ze vaste klant bij me worden en dumpt ze dan. Met Chantal liep het anders, dus ik vrees dat zij de laatste klant is die hij me heeft gebracht.'

'Maar ik breng Penny nu weer mee. Als jij ervoor zorgt dat haar tosti extra belegd wordt, komt ze misschien vaker,' lachte Chantal.

Ze keek hem na toen hij achter de bar verdween om hun bestelling in orde te maken. Nog steeds vond ze hem zeer aantrekkelijk. Normaal gesproken zou ze dat slechts als feit constateren en er geen tweede keer over nadenken, maar sinds ze officieel met Guido was verloofd keek ze anders naar mannen. Als verboden vruchten. Niet aantrekkelijk als ze in de winkel te koop waren, maar des te aanlokkelijker als ze aan een boom hingen en ze niet geplukt mochten worden. Dat hij haar altijd hartelijk zoende, naar haar lachte en knipoogde en liet merken haar erg leuk te vinden, hielp ook niet mee.

'Afblijven, verboden gebied,' waarschuwde Penny haar.

'Hè, wat?' Chantal schrok op uit haar gedachten. 'Wat bedoel je?'

'Volgens mij weet je dat best. Je keek zo flirterig naar Andreas.'

'Je bent gek. Ik ben verloofd, weet je nog?'

'Ik wel. Nog steeds happy met Guido en ervan overtuigd dat je de rest van je leven met hem door gaat brengen?' Onderzoekend keek Penny haar aan.

'Eigenlijk was ik daar voor zijn aanzoek meer van overtuigd dan erna,' bekende Chantal eerlijk. 'Onze relatie was zo goed dat ik me niet voor kon stellen dat er ooit een einde aan zou komen. We vulden elkaar perfect aan en vormden echt een eenheid. Tegenwoordig voelt het anders. Meer alsof het goed móét zijn. Of het geen vrije keus meer is om het prettig te hebben samen, maar een verplichting.'

'En toch zet je het door?' vroeg Penny met opgetrokken wenkbrauwen.

Chantal begon te lachen, maar het klonk niet oprecht.

'Zo erg is het nu ook weer niet. We houden van elkaar, dus de basis is goed. Ik heb alleen altijd zo'n afkeer van het huwelijk gehad dat het even wennen is voor me.'

'Banden kunnen zo gaan knellen dat je niet anders kunt doen dan ze afgooien,' waarschuwde Penny haar. 'Doe bijvoorbeeld maar eens een drukverband om een gekneusde pols. Als dat goed zit, heb je er steun aan en voelt het prettig, zit het te strak verbonden, dan krijg je blauwe vingers en gaat het tintelen.'

'Wat is dat nou voor een vergelijking?' vroeg Chantal verbaasd.

'Volgens mij begrijp je me heel goed. Je houdt van Guido en wilt hem niet kwijtraken, maar trouwen gaat je een stap te ver. Je gelooft niet in het huwelijk en je wilt geen partner die dag en nacht op je lip zit. Je gaat er alleen in mee omdat je vindt dat je niet meer terug kunt.'

'Je ziet spoken,' zei Chantal strak. 'Dat jouw huwelijk niet is geworden wat je ervan had verwacht, hoef je niet op mij te betrekken.'

'We hebben het nu niet over mij,' zei Penny.

'Waarom niet? Is dat te bedreigend?' informeerde Chantal fijntjes. 'Ga me nu niet vertellen dat jij zo stralend gelukkig bent.'

'Ieder huwelijk kent zijn ups en downs, dat is normaal.'

'Misschien hebben Guido en ik nu het downmoment en is het na ons trouwen alleen maar up.'

'Als jij dat gelooft, moet je het vooral doen. Ik zit hier niet om je over te halen je bruiloft af te blazen,' zei Penny ernstig.

'Daar lijkt het anders wel op.'

'Ik vraag me gewoon af waarom je het doorzet terwijl je vlak voor zijn aanzoek nog tegen mij hebt gezegd dat je je niet wilt vastleggen. Het rijmt niet met elkaar. Voor zover ik jou ken, sta je hier niet achter.'

'Je kent me niet.'

'Zo voelt het anders wel. Ik heb met jou in die korte tijd een veel betere band opgebouwd dan ik met mijn eigen zus heb,' beleed Penny.

Ze werden onderbroken door Andreas, die met een zwierig gebaar twee koffie en twee tosti's op tafel zette.

'Kijk eens, dames. Ik hoop dat het smaakt. Als jullie nog iets nodig hebben, roep je me maar.'

'Bedankt.' Chantal roerde in haar koffie en leunde achterover. 'Je hebt dus een zus,' ging ze op Penny's laatste woorden in. 'Hoe is dat? Ik bedoel... Wat een stomme vraag,' viel ze zichzelf in de rede. 'Alsof je dat kunt uitleggen. Voor jou is het natuurlijk heel normaal om een zus te hebben, dat is niet iets waar je bij stilstaat of wat je als iets bijzonders beschouwt.'

'Nou, dat ligt toch iets anders dan je denkt,' begon Penny terwijl ze een hap tosti doorslikte. Ze wilde Chantal vertellen over haar adoptie en de onzekere gevoelens die ze daar de laatste tijd had over had, maar opnieuw werd hun gesprek onderbroken. Dit keer door Gerdien, die plotseling naast hun tafeltje opdook.

'Ha, je bent er al,' zei ze. Ze gaf Chantal drie zoenen en stak Penny haar hand toe. 'Gerdien, de moeder van Guido. Jij bent een vriendin van Chantal, geloof ik? Ik heb je op haar verjaardag gezien.'

'Penny Staalhorst,' stelde Penny zich officieel voor.

'Jij gaat ook mee op trouwjurkenjacht?' informeerde Gerdien.

Penny schudde haar hoofd. 'Nee, ik moet helaas weer aan het werk. Ik laat me op de grote dag verrassen door de creatie die jullie uitzoeken.'

'Stel je er niet al te veel van voor, ik hou van simpel,' waarschuwde Chantal bij voorbaat.

Hoewel haar halve tosti nog op het bord lag, stond Penny op. Het vertrouwelijke moment was verbroken door Gerdiens komst. Zo ging het steeds. Hun gesprekken waren diepgaand, maar altijd veel te kort. Ze wisten nog steeds bijna niets van elkaars leven af, terwijl ze juist eens zo graag met Chantal van gedachten wilde wisselen over alles wat haar bezighield en waar ze zo mee worstelde. Ze had zomaar het gevoel dat Chantal haar zou begrijpen, in tegenstelling tot Huug. Hij probeerde het altijd wel, maar kon zich niet echt inleven in haar gevoelens, daarvoor vond hij ze te verwarrend. Van iets afspreken kwam het echter steeds niet, hun contact beperkte zich tot korte ontmoetingen. Huug zou het haar zeker niet in dank afnemen als ze binnen haar drukke schema wel een avond uittrok om een vriendin te bezoeken, maar niet om iets leuks met hun kinderen te doen. Steeds vaker vroeg ze zich af of haar werk dit volslagen gebrek aan een privéleven waard was. Maar het voelde alsof ze geen keus had. Haar werk was altijd haar toevluchtsoord geweest om niet stil te hoeven staan bij die lege plek in haar hart. Ze zou niet eens meer weten hoe ze een leven moest leiden zonder die drukke werkzaamheden.

'Dat lijkt me een leuke vrouw,' merkte Gerdien op. 'Alleen wat gejaagd.'

'Ze is directeur en tevens met een vriend samen eigenaar van een reclamebureau. Daarnaast heeft ze een gezin met drie jonge kinderen,' vertelde Chantal.

'Geen wonder dat ze zo'n jachtige indruk maakt. Het is maar waar je voor kiest, ik moet er persoonlijk niet aan denken om mijn leven zo vol te plannen,' meende Gerdien. 'Enfin, gaan wij?'

Chantal rekende af bij Andreas, die bij zijn terugkeer

uit de keuken verbaasd opkeek toen hij in plaats van Penny ineens Gerdien zag staan.

'Je bent wel veranderd sinds een paar minuten geleden, maar zeker niet in je nadeel,' merkte hij complimenteus op.

'Schooier. Dat vleien leer jij ook nooit af, hè?' zei Gerdien lachend.

'Dat zit in mijn natuur. Ik hou van mooie vrouwen,' zei Andreas. Hij keek Chantal bij die woorden veelbetekenend aan, waarop ze begon te blozen.

Stel je niet aan, sprak ze zichzelf in gedachten streng toe. Hij bedoelt er niets mee. Uit Gerdiens woorden bleek tenslotte wel dat Andreas zich altijd als een charmeur gedroeg, dat deed hij niet speciaal tegen haar. Trouwens, waar dacht ze aan? Ze stond nota bene op het punt haar trouwjurk te kopen!

Haastig maakte ze zich uit de voeten, Gerdien met zich mee trekkend.

'Je hebt er wel zin in, geloof ik,' merkte die geamuseerd op.

'Natuurlijk. Het gaat om mijn trouwjurk,' zei Chantal luchtig. 'Welke winkel nemen we eerst?' Met geweld zette ze de gedachte aan Andreas van zich af. Hij kwam toch niet hoger dan een acht en Guido zat heel dicht bij een tien. Tot aan zijn aanzoek tenminste. Chantal zuchtte. Hoe ze het ook wendde of keerde, ze kwam steeds weer bij hetzelfde punt uit. Guido was meer dan geweldig, maar sinds hij haar gevraagd had met hem te trouwen, had hij veel van zijn glans verloren. Als hij dat deel had overgeslagen, was ze nu veel gelukkiger geweest.

Stiekem verweet ze hem dat hij haar niet zo goed kende als hij dacht, anders had hij dat onzalige plan nooit in zijn hoofd gehaald.

'Spannend,' zei Gerdien. Ze gaf een kneepje in Chantals arm. 'Ik kan me nog als de dag van gisteren herinneren dat ik mijn eigen trouwjurk uitzocht. Dat is toch iets heel speciaals, de belangrijkste aankoop op het gebied van kleding die je ooit zult doen.'

'Hoe wist jij dat Adriaan de ware voor je was?' vroeg Chantal.

'Zoiets voel je, dat kun je niet uitleggen,' zei Gerdien bedachtzaam.

'Heb je nooit getwijfeld?'

Gerdien keek haar van opzij aan. 'Natuurlijk wel. Trouwen is heel grote stap, iedereen twijfelt daar op voorhand aan,' zei ze beslist. 'Je legt een belofte af voor de rest van je leven en dat is een periode die je niet kunt overzien. Geloof me, iedere aanstaande bruid kent deze gevoelens. Dat is niet iets waarvoor je je hoeft te schamen. Twijfelen betekent niet dat je niet wilt trouwen of dat je niet van je aanstaande houdt, het is een heel natuurlijk iets aan de vooravond van een grote verandering. Ben je ooit van baan veranderd?'

'Ja,' antwoordde Chantal, beduusd door deze plotselinge wending. 'Hoezo?'

'Dan heb je vast ook getwijfeld of je de goede beslissing nam door ontslag te nemen en aan iets nieuws te beginnen. Je weet altijd achteraf pas of je de juiste keuze hebt gemaakt en dat maakt het lastig om te kiezen.'

'Met mijn baan is dat heel goed uitgepakt. Ik ga er iedere dag met plezier naartoe.'

'En straks ben je iedere dag blij dat je ja hebt gezegd,' zei Gerdien lief. 'Het klinkt misschien ouderwets, maar zelf had ik het gevoel dat de relatie tussen Adriaan en mij een heel nieuwe dimensie kreeg. We woonden al een tijdje samen, wat nog niet zo heel gebruikelijk was in die tijd, toch werd het anders na onze trouwdag. Echter. Intenser. Vanaf die dag waren we echt met elkaar verbonden.'

'En heb je dat nooit benauwend gevonden?' vroeg Chantal nieuwsgierig.

'Het was alleen maar fijn,' zei Gerdien eenvoudig. Ze stopte voor een bruidsmodezaak en wierp een blik in de etalage. 'Kijk die eens. Schitterend, vind je ook niet?'

Chantal knikte, ze durfde niet meer op het onderwerp van gesprek terug te komen. Maar twijfelen was dus niet vreemd, dat zei haar schoonmoeder zelfs. Waar zij last van had, kwam door de normale 'bruidsblues'. Een hele opluchting.

Ze volgde Gerdien de winkel in en paste de ene na de andere jurk. Ze begon er zelfs plezier in te krijgen, vooral toen de verkoopster op een gegeven moment haar handen in elkaar sloeg nadat ze een strakke, eenvoudige jurk met een kleine sleep had aangetrokken.

'Wat zult u een prachtige bruid zijn,' riep het meisje spontaan uit.

'Nou kan ik niet anders meer dan deze jurk kopen,' grinnikte Chantal. Ze draaide heen en weer voor de grote spiegel.

'Een uitstekende keus,' prees Gerdien. Chantal hoorde aan haar stem dat ze een brok in haar keel had. Ze zag er dan ook prachtig in uit, dat zag zij zelfs. Het aansluitende model maakte haar taille slanker dan hij werkelijk was en de uitloop aan de onderkant viel in perfecte plooitjes. Het zag er heel natuurlijk uit en had niets protserigs, wat ze normaal gesproken altijd tegen had op sleepjes. De jurk was niet helemaal spierwit, maar romig wit en dat stak mooi af bij haar zwart geverfde haren. Ze maakte de outfit direct helemaal compleet door er een bijpassende panty, lingerie en haarversiering bij te kopen.

'De schoenen krijg je van Adriaan en mij,' besloot Gerdien.

'Ik kan u de schoenenzaak aan de overkant aanbevelen,' zei de verkoopster gedienstig. Ze krabbelde iets op een kaartje en gaf dat aan Chantal. 'Als u dit aan hem geeft, weet hij welk model jurk u gekocht heeft. Hij weet wat daar het beste bij past.'

Ze bleek gelijk te krijgen. Binnen een kwartier verlieten ze de schoenenwinkel met de perfecte schoenen voor bij haar jurk. De twee vrouwen keken elkaar lachend aan.

'Geslaagd,' zei Gerdien. 'Ik kan niet wachten om je in vol ornaat te zien, Chantal. Wat zal Guido ongelooflijk trots op je zijn.'

'Nog een paar weken.' Tot haar eigen verrassing klonk dat niet eens als een schrikbeeld.

'We gaan iets drinken en dan rijden we naar het zorgcentrum waar je moeder woont,' zei Gerdien terwijl ze zorgvuldig de tas met daarin de schoenendoos in de kofferbak van haar auto zette.

'Waarom?' vroeg Chantal verbaasd.

'Ze is je moeder, ik wil haar graag leren kennen,' was Gerdiens eenvoudige antwoord.

De tranen schoten in Chantals ogen.

'Echt waar?'

'Natuurlijk. Ook al is ze dement, ze hoort erbij. Ik heb foto's van jou in de jurk gemaakt, ze zal het vast leuk vinden om die te bekijken.'

Midden op straat omhelsde Chantal haar aanstaande schoonmoeder. De beste schoonmoeder die ze kon krijgen, dacht ze dankbaar. Gerdien en Adriaan waren ontzettend lieve mensen. Ondanks haar aversie tegen het hele concept 'trouwen' was ze blij dat ze binnenkort officieel tot deze familie zou behoren. Dat maakte veel goed.

Alida leek Chantal te herkennen. Zoals gewoonlijk zat ze aan een tafel in het restaurant van het zorgcentrum. Haar ogen lichtten blij op bij hun binnenkomst.

'Dag mam.' Chantal kuste haar op haar wang. 'Ik heb iemand meegebracht. Dit is Gerdien, de moeder van Guido.'

Alida knikte alsof ze het begreep, al wist Chantal dat ze nooit zeker kon zijn van wat er in haar moeders hoofd omging. Haar volgende woorden bevestigden dat.

'Dag Gerdien. Ik heb een klacht over het eten. Dat was erg zout vanmiddag.'

'Ik zal er voortaan op letten,' zei Gerdien vriendelijk.

'Ik ga trouwen, mam,' zei Chantal, in de hoop toch iets van herkenning bij haar moeder los te maken. 'Gerdien wordt mijn schoonmoeder. Kijk, we hebben foto's van de jurk bij ons.'

Ze pakte de camera van Gerdien aan en toonde de foto's op het schermpje. Alida bekeek ze aandachtig. Ineens begon haar gezicht te stralen.

'Je bent getrouwd!' riep ze juichend uit. 'Was het een mooie dag?'

'Heel mooi,' zei Chantal zacht.

Alida pakte haar handen vast en kneep erin. 'Fijn voor je. Was je zus er ook bij?'

Chantal beet op haar lip. Alweer die zus, daar had haar moeder het een tijd geleden ook over gehad. Daarna was ze er nooit meer over begonnen, dus had ze het uit haar hoofd gezet. Het was echter wel frappant dat ze alweer die zus ter sprake bracht. Gerdien knikte haar haast onmerkbaar toe.

'Ja mam, mijn zus was er ook,' antwoordde ze schor.

Alida wendde zich stralend tot Gerdien. 'Ik ben morgen jarig. Achttien word ik. En dan ga ik ook trouwen.'

Moedeloos leunde Chantal achterover. Ze had het kunnen weten. Alles wat uit Alida's mond kwam, was pure wartaal. Ook die zus.

HOOFDSTUK 15

Nog één week tot de bruiloft. Penny belde vanaf kantoor naar Huug om te zeggen dat ze die avond niet thuis kwam eten. Ze wilde zo veel mogelijk vooruitwerken om de hele dag aanwezig te kunnen zijn als Chantal trouwde, dus dat betekende 's avonds doorwerken. Zomaar een dag vrij nemen was een unicum voor haar, al vond Huug dat onzin.

'Romano is er ook nog, bovendien hebben jullie personeel,' zei hij licht geïrriteerd.

'Er zijn nu eenmaal zaken die ik zelf wil afwikkelen.'

'Dat is het kernwoord, ja. Willen,' reageerde hij ad rem. 'Nodig is het niet. Dit is weer een vrijdagavond waarop je niet aanwezig bent, Penny. Een gezinsavond. De kinderen mogen opblijven, het hoort gezellig te zijn.'

'Is het gezelliger als ik erbij ben?' vroeg Penny zich hardop af.

'Voor mij in ieder geval wel. We zijn een gezin, een team. We missen je als je er niet bent.'

'Dat kan ik me nauwelijks voorstellen. Tessa hangt alleen maar aan jou.' Onwillekeurig klonk haar stem bitter.

'Dat is een kwestie van oorzaak en gevolg. Je kunt het mij toch niet kwalijk nemen dat ik wel tijd en aandacht aan hen besteed.'

'Hoera, het oude liedje klinkt weer op,' zei Penny ironisch.

'Dat zou niet nodig moeten zijn. Je hebt nog niet zo lang geleden een belofte gedaan, maar in de praktijk is daar weinig van terechtgekomen,' wees Huug haar terecht. 'Sinds ik hele dagen thuis ben, heb jij je nog meer op je werk gestort dan voorheen. Mijn voorstel om huisman te worden was niet bedoeld als vrijbrief voor jou. Dat is nooit mijn bedoeling geweest.'

'Ik voel sindsdien wel de druk om nog meer te presteren. Ons gezinsinkomen hangt nu alleen van mij af,' zei Penny. 'Dat is overigens geen verwijt, maar een constatering.'

'Aan inkomsten hebben we geen gebrek, maar dat is niet het belangrijkste in het leven. Trouwens, voordat ik huisman werd, speelde dit ook al. Doe nu niet net alsof je sindsdien pas een workaholic bent geworden. De tijd die je uitspaart sinds ik de taken thuis heb overgenomen, breng je door op kantoor.'

'Ik zal het hele weekend niets aan werk doen,' beloofde Penny. 'Maar dit moet ik echt even afmaken, Huug. Volgende week vrijdag trouwt Chantal, daar wil ik graag bij zijn. Dat houdt in dat ik zo veel mogelijk van tevoren af moet handelen.'

Er viel een korte stilte aan de andere kant van de lijn. Penny wist al wat Huug zou gaan zeggen, en ze kreeg gelijk.

'Je neemt een hele dag vrij voor Chantal, maar een vrijdagavond met je kinderen is te veel gevraagd?' zei hij verontwaardigd. 'Bedankt, Penny, je laat ons op deze manier fijntjes weten op welke plek wij komen voor jou.'

'Je weet dat ik het zo niet bedoel. Chantal is... Nou ja, daar hebben we het vaker over gehad. We hebben iets samen, een klik zoals je maar met weinig mensen meemaakt.'

'Ik dacht dat wij samen iets belangrijkers hadden,' zei hij bitter.

'We gaan dit weekend iets leuks doen,' beloofde ze opnieuw.

'Ik weet niet of ik daar nog wel zin in heb,' zei hij echter kortaf. 'Werk maar lekker verder, ik weet nu waar ik aan toe ben.'

Zonder gedag te zeggen verbrak hij de verbinding. Penny staarde moedeloos voor zich uit. De opmerking dat ze naar Chantals bruiloft wilde gaan, had ze beter nog even voor zich kunnen houden. Ze had Huug enkele weken geleden de uitnodiging laten zien, maar hij was ervan uitgegaan dat ze slechts een bloemetje zouden sturen. Op dat moment was ze er niet verder op ingegaan omdat Sarah was gevallen en begon te krijsen. Later was ze er niet meer op teruggekomen omdat ze wist dat Huug haar dan deze verwijten zou maken. Niet helemaal onterecht, trouwens. Van haar voornemen om meer tijd met haar gezin door te brengen was nog niet erg veel terechtgekomen, al was het ook niet zo dat ze er helemaal geen moeite voor deed. Haar pogingen leken Huug echter niet op te vallen, wat haar weer opstandig deed besluiten dat ze net zo goed haar tijd op kantoor kon doorbrengen. Zo was er een situatie ontstaan die niet meer te doorbreken leek. Langzaam maar zeker groeiden ze steeds verder uit elkaar.

Penny leunde met haar ellebogen op haar bureau en steunde haar gezicht in haar handen. Ze had helemaal geen zin om te werken, iets wat haar niet vaak gebeurde. Meestal vergat ze alles om zich heen als ze bezig was met een campagne of met het trachten binnen te slepen van nieuwe opdrachtgevers, zelfs haar gezin. Op dit moment was ze echter te rusteloos om haar aandacht op haar computer te richten. Met een gebaar van afkeer schoof ze haar toetsenbord opzij. Wat had ze toch de laatste tijd? Zo langzamerhand vond ze niets meer echt leuk. 's Morgens als ze opstond zag ze al tegen de dag op en 's nachts sliep ze slecht, al rolde ze iedere avond doodmoe haar bed in. Ze schonk een beker sterke koffie voor zichzelf in en wreef over haar ogen. Steeds vaker had ze last van hoofdpijn, wat ook niet hielp om zich prettiger te voelen. Ze had het gevoel of ze zich op de rand van een afgrond bevond. Haar hele lichaam verzette zich tegen de onvermijdelijke val, toch werd ze steeds meer naar de rand getrokken.

Het gesprek met haar ouders over haar afkomst had

nog steeds niet plaatsgevonden. Na een lange rondreis door de noordelijke landen waren ze nu op de weg terug, dus lang zou het niet meer duren. Ze verwachtte dat ze ergens in de komende dagen thuis zouden komen, dus dan wilde ze een afspraak met hen maken. Hopelijk helderde een goed gesprek iets op van de onrustige gevoelens waarmee ze kampte, al kon ze zich niet voorstellen dat haar ouders iets te melden hadden waar ze wat aan had. Maar dat vage gevoel dat er iets niet klopte moest ergens vandaan komen.

Penny staarde naar haar beeldscherm. Alle ideeën die ze vanmiddag nog had gehad over deze campagne, leken in het niets opgelost te zijn. Haar hoofd was volledig leeg. Nu naar huis gaan wilde ze echter ook niet na dat gesprek met Huug. Bovendien had ze hem beloofd het weekend vrij te houden en daar kon ze niet meer op terugkomen, dus moest ze echt iets doen vanavond. Zuchtend klikte ze een programma aan. Concentreer je, hield ze zichzelf voor. Dit is je werk, dit is leuk.

Zo voelde het op dat moment echter niet.

Nog één week tot de bruiloft. Chantal pakte lusteloos een aantal van haar spullen in die ze die week toch niet meer nodig had. Volgende week was het zover, dan verruilde ze dit geliefde flatje voor het huis van Guido. Een mooie, strak gerenoveerde benedenwoning in een buitenwijk. Niet al te groot, maar met genoeg ruimte voor twee personen. En met een tuin, dus ze ging erop vooruit, vertelde Chantal zichzelf. Het hielp niet, ze bleef zich miserabel voelen bij de wetenschap dat ze haar flat moest verlaten. De huur had ze nog steeds niet opgezegd, al dacht Guido van wel. Maar ze kon het niet, het was net of ze steeds door een onzichtbare hand werd tegengehouden als ze begon met de schriftelijke verklaring aan haar huurbaas. Het voelde alsof ze met haar woning een deel van zichzelf kwijtraakte. Het enige ter wereld dat echt van haar was. In deze flat had ze gelachen, gehuild, gevreeën, gelééfd. Er lagen hier talloze voetstappen van haar, hier had ze haar eerste, meestal mislukte maaltijden bereid, hier was ze geweest toen ze het noodlottige telefoontje kreeg dat haar vader was overleden.

Met een gevoel van weerzin keek ze naar de grote, nog lege dozen, die allemaal gevuld moesten worden. Haar ogen schoten vol tranen. Ze kon het niet. Niet vanavond in ieder geval.

Misschien ging het beter als Guido haar hielp. Hij had geen emotionele banden met dit huis of met de spullen die eruit moesten. Guido had die avond echter een etentje van zijn werk, waarbij partners niet uitgenodigd waren. Het zou wel laat worden, had hij haar verteld. Ze hielden vaker zo'n etentje en dan belandden ze daarna meestal met een aantal collega's in de kroeg.

Chantal had het gevoel of ze stikte. Ze kon slechts met moeite ademhalen. Kleine zweetdruppeltjes parelden op haar voorhoofd. Dit kwam niet alleen door de aanstaande verhuizing, wist ze. De oorzaak zat dieper. Het zat 'm in de aanleiding tot de verhuizing. Hun trouwdag hing als een zwarte, dreigende wolk boven haar hoofd. Hoe dichterbij de grote dag kwam, hoe meer ze ertegen op ging zien. Ze vroeg zich af of het eerlijk was tegenover Guido én tegenover zichzelf om ermee door te gaan. Aan de andere kant zou ze enorm veel verliezen als ze het alsnog afblies. Niet alleen Guido, maar ook zijn familie, bij wie ze zich zo thuis voelde en bij wie ze zichzelf kon zijn. Bij hen werd ze volledig geaccepteerd en niet slechts geduld, een gevoel dat haar broers haar vroeger wél gegeven hadden. Haar eigen familie had er nooit bewust voor gekozen om haar in huis te halen, ze waren gedwongen door de omstandigheden. En hoe liefdevol haar ouders ook waren geweest, Chantal had dat toch altijd gevoeld. Bij Guido's familie speelde dat niet. Bij hen was ze zonder meer welkom en werd ze beschouwd als een van hen. Dat wilde en kon ze niet op het spel zetten door nu, een week voor hun huwelijk, te vertellen dat ze zich vergist had en dat ze helemaal niet wilde trouwen. Voor Guido zou dat een enorme vernedering zijn, dat kon ze hem niet aandoen. Het alternatief was trouwen terwijl ze daar niet achter stond, iets wat ze steeds meer ging beseffen naarmate de tijd verstreek.

Ze kreeg het zo benauwd dat ze haar jas pakte en naar buiten liep. Het was koud en er stond een harde wind, misschien kon die de muizenissen uit haar hoofd verjagen. Met haar handen in haar zakken gestoken en haar hoofd voorovergebogen worstelde Chantal tegen de storm in. Ze had geen idee waar ze liep, het enige wat ze wilde was haar hoofd leeg laten waaien. Na ruim een uur kwam ze een beetje tot bezinning. Verward keek ze om zich heen, om tot de ontdekking te komen dat ze helemaal niet zo ver van huis was. Blijkbaar had ze in rondjes om het centrum heen gelopen. Aan de overkant was het reclamebureau van Penny. De lamellen waren half gesloten. In het licht dat binnen in het kantoor scheen, zag Chantal Penny achter haar bureau zitten, ondanks het late uur verdiept in haar werkzaamheden. Zou ze op het raam tikken? Ze aarzelde. Op zich zou het wel prettig zijn om met iemand te praten, maar ze wist van tevoren al wat Penny zou gaan zeggen en dat was precies datgene wat ze niet wilde horen. Ze had behoefte aan iemand die haar vertelde dat het allemaal wel goed kwam. Penny was daar niet de aangewezen persoon voor, hoe graag ze ook met haar praatte en hoe goed ze elkaar ook aanvoelden.

Dus liep Chantal door, weg van het verlichte kantoor. Enkele straten verder bevond zich het café van Andreas en ze besloot daarheen te gaan om iets te drinken en weer op temperatuur te komen. Ze had het behoorlijk koud gekregen in haar dunne jasje.

Even later stapte ze het lichte, warme café binnen. Het was er niet druk. Slechts twee tafeltjes waren bezet en aan de bar stonden een paar mannen met elkaar te praten. Andreas zag haar onmiddellijk.

'Mijn favoriete klant,' begroette hij haar vrolijk. Hoffelijk hielp hij haar uit haar jas. 'Nog een week. Ben je al zenuwachtig?'

'Hou alsjeblieft op. Ik kom hier juist heen om even niet aan de bruiloft te denken,' flapte Chantal eruit. Meteen kon ze het puntje van haar tong wel afbijten. Zo klonk ze bepaald niet als een hunkerend bruidje. Een vrouw hoorde naar haar trouwdag te verlangen. Ze zag de vorsende blik van Andreas en voegde er snel aan toe: 'Je hebt geen idee wat er allemaal bij komt kijken aan voorbereidingen. Ik ben er momenteel hele dagen mee bezig en de uren die ik er niet aan besteed, zit ik te piekeren of ik niets vergeten heb. Ik moet het echt even van me af zetten voordat ik doordraai en volgende week met bleke wangen en dikke wallen onder mijn ogen voor het altaar sta.'

'Juist, ja,' zei Andreas. 'Het zal wel, ik heb er geen ervaring mee.'

Chantal hield de opmerking dat hij dat beter zo kon houden, nog net binnen. Ook Andreas, de beste vriend van Guido en tevens zijn getuige, was niet de juiste persoon om haar gevoelens mee te delen.

'Wat wil je drinken?' vroeg hij.

'Iets warms. Heb je toevallig nog koffie?' Chantal wreef in haar verkleumde handen. 'Ik heb een eind gelopen.'

'Was je op de vlucht?' informeerde hij luchtig. Zijn ogen stonden echter waakzaam.

'Nee hoor, ik was alleen gaar geworden van het inpakken,' hield ze zich op de vlakte. 'Dat heb ik veel te lang uitgesteld, dus nu moet alles tegelijk.'

'Dan had je daar beter mee door kunnen gaan in plaats van hier te zitten.'

'Een kleine pauze op zijn tijd is ook weleens nodig.'

'Je verlangde er natuurlijk naar om mij te zien,' plaagde hij haar.

'Uiteraard.' Dankbaar ging Chantal daar vrolijk op in, alles was beter dan het gesprek op de trouwdag brengen. 'Je weet dat je de favoriete vriend van mijn vriend bent. Het zou helemaal ideaal zijn als je ook nog koffie had.'

'Helaas.' Andreas maakte een gebaar met zijn handen. 'Die is op. Maar ik kan een pot zetten voor je.'

'Ben je gek, dat is niet nodig. Doe dan maar iets fris.'

'Dat helpt niet om warm te worden. Ga anders even mee naar boven. In mijn woongedeelte heb ik een senseoapparaat staan. Dan heb ik binnen een minuut een lekker vers bakje voor je,' stelde hij voor.

Chantal wilde weigeren, maar een grote groep uitgelaten jongelui, duidelijk bezig met het vieren van een vrijgezellenavond, viel het café binnen. Het was meteen een drukte van belang. Een van de vrouwen, de bruid in spe, was uitgedost in een witte jurk en droeg iets op haar hoofd wat nog het meest leek op een stuk vitrage. Waarschijnlijk was het dat ook. Ze zuchtte inwendig. Kon ze dan helemaal nergens ontsnappen aan wat haar te wachten stond?

'Graag,' accepteerde ze dus Andreas' aanbod. Dan was ze tenminste weg bij deze groep.

Nadat hij wat instructies had gegeven aan zijn personeel, leidde hij haar naar achteren, waar de trap naar zijn woonverdieping was. Chantal was daar nog nooit geweest, dus keek ze nieuwsgierig rond. Het was een typische mannenwoning, met robuuste meubels die tegen een stootje konden, een kale houten vloer en muren waar bijna niets tegenaan hing. Op een enkele plant na was er weinig groen te bekennen. Wel stond er een enorme, goed gevulde boekenkast die een hele muur besloeg. Geïnteresseerd bekeek ze zijn voorraad boeken. Vooral veel kookboeken en reisbeschrijvingen, zag ze.

'Zit er iets van je gading bij?' vroeg Andreas. Hij kwam de kamer binnen met een beker hete koffie in zijn handen, die Chantal gretig van hem aanpakte. Het warme aardewerk voelde weldadig aan tegen haar koude handen.

'Ik lees liever romans of thrillers,' antwoordde ze. 'Kookboeken zijn aan mij niet besteed. Het bereiden van de avondmaaltijd moet zo snel mogelijk gebeuren, vind ik. Magnetronmaaltijden zijn dan ook favoriet bij mij.'

'Jammer. Met weinig moeite kun je heel lekkere gerechten op tafel zetten.'

'Geef me maar eens een cursus,' lachte Chantal.

'De liefde van de man gaat door de maag, dat weet je toch?' haalde hij een oud spreekwoord van stal. 'Dus om Guido te behagen moet je inderdaad lekker kunnen koken.'

'Ik behaag Guido met heel andere dingen.'

'Dat geloof ik graag.' Hij liet zijn ogen over haar lichaam glijden. De bewonderende blik waarmee hij dat deed, vleide haar. Om haar verwarring te verbergen ging ze op de bank zitten, zogenaamd met al haar aandacht bij haar koffie. Andreas kwam naast haar zitten, dicht tegen haar aan op de smalle tweezitsbank.

'Misschien is die kookcursus helemaal geen slecht idee,' zei hij met zijn gezicht vlak bij het hare. 'Gezellig met zijn tweeën.'

Terwijl hij sprak legde hij zijn hand op haar dijbeen. Er voer een schok door Chantals lichaam heen, vooral toen ze zich bedacht dat ze dit gebaar helemaal niet erg vond. Heerlijk loom en rozig van de warmte in dit vertrek, leunde ze tegen hem aan. Ze was zich er vaag van bewust dat dit niet goed was en dat ze hem moest wegduwen, maar het voelde zo prettig. Even waande ze zich weer een single vrouw, niet gebonden aan iets of iemand. Guido leek heel ver weg. Tegen Andreas aan viel ze bijna in slaap nu haar lichaam na de kou buiten heerlijk op temperatuur kwam. Na al het gepieker van de laatste tijd en het geworstel met haar tegenstrijdige gevoelens voelde ze zich voor het eerst sinds weken even helemaal rustig en zorgeloos. Net als vroeger, voor dat onverwachte aanzoek dat haar leven overhoop had gegooid. Toen ze naar voren boog om haar koffiebeker op tafel te zetten, voelde ze Andreas' lippen langs haar wang glijden. Een oud, vertrouwd gevoel nam bezit van haar. Het aloude spel van flirten, aantrekken en verleiden was haar zeker niet vreemd. Voor het Guidotijdperk had ze bijna niet anders gedaan.

Zijn ene hand kroop nu onder haar shirt en streelde haar blote lichaam. Zijn andere hand legde hij in haar nek en zo trok hij haar gezicht dicht naar zich toe. Chantal zag zijn mond de hare naderen. Onwillekeurig opende ze haar lippen iets. Op het moment dat hun monden elkaar raakten, sloeg ze in een automatisch gebaar haar armen om zijn hals.

'Dat dacht ik wel.' Plotseling sprong Andreas op. Het gebeurde zo snel en zo onverwachts dat ze amper begreep wat er gebeurde. Versuft keek ze omhoog naar zijn van woede vertrokken gezicht. 'Ik word hier gewoon misselijk van, weet je dat? Je staat op het punt van trouwen! Betekent dat dan helemaal niets voor je?'

'Jij begon,' weerstreefde Chantal. Ze hoorde zelf hoe belachelijk het klonk, maar ze was niet in staat tot helder nadenken.

'En jij bent er niet bepaald vies van.' Zijn stem sneed. 'Ik heb al langer mijn vermoedens omtrent jouw persoontje. Zeg eens, waar is het je werkelijk om te doen? Zijn riante salaris? Trouw je om geborgen te zijn?'

'Ik hou van Guido.'

'Ja, beslist,' zei Andreas sarcastisch. Hij pakte haar

tas en gooide die naar haar toe. 'Ga alsjeblieft weg, ik walg van je.'

Chantal stond op. 'Ooit gehoord van de pot en de ketel?' informeerde ze kwaad nu tot haar doordrong wat er gebeurde. 'Jij bent nota bene zijn beste vriend! Zijn getuige zelfs. Hoe hoogstaand ben je zelf als je probeert de bruid te verleiden?'

'Het was een test om te kijken of mijn vermoedens klopten. Ik heb al langer het idee dat er iets niet goed zit en het bewijs is hierbij geleverd. Bah! Guido verdient iets beters.'

'Met zulke vrienden heb je geen vijanden nodig,' zei Chantal hoog.

Voor hem uit beende ze de gang in en de trap af, terug naar het café, waar de groep die net binnen was gekomen nog steeds uitbundig aan het feesten was. De aanblik van de bruid in spe maakte haar misselijk. Zonder haar jas te pakken vluchtte ze naar buiten, de donkere straat op. Ze moest hier zo snel mogelijk weg.

Met wild bonkend hart begon ze te lopen, voor de tweede keer die avond. Haar leven begon een aardige puinhoop te worden, dacht ze bitter bij zichzelf. En het was haar eigen schuld. Ze had het zelf zo ver uit de hand laten lopen. Ze had eerlijk moeten zijn tegen Guido. Zijn aanzoek afslaan ten overstaan van alle mensen die erbij aanwezig waren, was wellicht keihard geweest, maar beter dan dit. Wat moest ze nu? Eén ding was haar in ieder geval wel duidelijk geworden door dit incident: ze kon onmogelijk met Guido trouwen. Het feit dat ze Andreas zijn gang had laten gaan, was daar bewijs genoeg voor. Zij was niet geschikt voor het huwelijk. Andreas had gelijk met zijn bewering dat Guido beter verdiende. Als Andreas het niet had afgekapt, had ze toegegeven, wist ze. Haar verwarde gevoelens van de laatste tijd golden dan misschien als verzachtende omstandigheid, maar mocht ze niet als excuus gebruiken. Het werd tijd dat ze de waarheid onder ogen zag, ook tegenover zichzelf. In ieder geval moest ze zo snel mogelijk met Guido praten. Iedere dag uitstel maakte het moeilijker, ze had het al veel te ver laten komen.

De gedachten tolden door Chantals hoofd terwijl ze door het centrum dwaalde. Plotseling stond ze opnieuw voor het reclamebureau van Penny. De lamellen die eerder die avond halfopen hadden gestaan, waren nu helemaal gesloten, maar er kierde nog wel licht doorheen. Penny zat waarschijnlijk nog steeds te werken.

Wat ze een uur eerder niet had gedaan, deed Chantal nu wel. Zonder er verder over na te denken, klopte ze op de ruit.

HOOFDSTUK 16

Er was die avond weinig productiefs uit Penny's hoofd en handen gekomen. Ondanks haar verwoede pogingen lukte het haar niet om een origineel idee voor de ophanden zijnde campagne te bedenken. Het grootste gedeelte van haar tijd had ze werkloos voor zich uit zitten staren. Op een gegeven moment was ze opgestaan om de lamellen te sluiten en koffie voor zichzelf te maken, maar diezelfde beker koffie stond nu koud geworden naast haar. Wat deed ze hier eigenlijk? Niet alleen nu, maar over het algemeen? Uitgekiende reclames bedenken om maar zo veel mogelijk mensen over te halen die producten te kopen. Hoe zinvol was het? Opdrachtgevers betaalden haar kapitalen om hun omzet te doen stijgen. Zonder reclames zou het leven veel simpeler zijn, dacht Penny filosofisch. In ieder geval konden de producten die zij zo manmoedig trachtte aan de man te brengen, dan een stuk goedkoper verkocht worden. Eigenlijk was het volkomen nutteloos wat zij deed. Deze overpeinzingen wakkerden haar creativiteit niet bepaald aan, zodat ze na een paar uur tot de ontdekking kwam dat ze haar tijd had zitten verdoen. Ze had veel beter thuis kunnen zijn om met haar kinderen een spelletje te doen. Waarom had ze dat niet eerder bedacht? Waarom had ze zo nodig ruzie met Huug moeten maken om iets wat zo volslagen onbelangrijk was? Ze verlangde naar de simpele gezelligheid thuis, tegelijkertijd miste ze de fut om op te staan en in haar auto te stappen. Ze was zo ontzettend moe de laatste tijd.

Zonder besef van tijd bleef ze zo achter haar bureau zitten, tot ze werd opgeschrikt door getik tegen de ruit. Langzaam stond ze op om naar de deur te lopen, een handeling die haar veel inspanning kostte. Haar armen en benen voelden aan als lood. Ze dacht er niet bij na dat het niet zo verstandig was om 's avonds zomaar de deur te openen zonder te weten wie er op de stoep stond.

'Chantal!' Ze schrok bij het zien van het bleke, in elkaar gedoken figuurtje. Snel trok ze haar naar binnen. 'Wat is er aan de hand? Is er iets gebeurd?' Ze duwde haar in de stoel tegenover haar bureau. 'Zeg iets!'

'Ik kan niet met Guido trouwen,' zei Chantal toonloos. Ze wreef over haar ogen en rilde. 'Dit was zo'n rare avond. Het ene moment was ik bezig mijn spullen in te pakken, het volgende moment...' Ze stokte. 'Ik kan niet met hem trouwen,' zei ze toen nog een keer.

Penny knikte peinzend. Zoiets had ze wel verwacht. Het was haar allang duidelijk dat Chantal niet achter haar eigen plannen stond. Het besef was laat gekomen, maar gelukkig nog niet te laat.

'Wat is er gebeurd dat je tot dit inzicht bent gekomen?' vroeg ze.

'Dat geloof je nooit.' Chantal lachte bitter. 'Als hij het niet gestopt had, had ik nu met Andreas in bed gelegen.'

'Wat?' Met grote ogen staarde Penny haar aan.

Tot in detail vertelde Chantal haar alles wat er die avond voorgevallen was. Ze liet niets weg, ook haar eigen aandeel niet.

'Ik ben Guido niet waard,' eindigde ze triest.

'Val jezelf niet te hard,' zei Penny. 'Als je niet zo met jezelf in de knoop had gezeten, was dit nooit gebeurd. Dan had je die Andreas nooit een tweede blik gegund, laat staan dit.'

'Dat klinkt lief, maar van het feit dat ik zo met mezelf in de knoop zit, kan ik niemand de schuld geven. Ik heb het helemaal aan mezelf te danken.'

'Je bent een mens, mensen maken fouten. Wees blij dat je er nog op tijd achter bent gekomen.'

'Op tijd?' Chantals stem sloeg over. 'Op tijd? Over een

week worden we geacht te trouwen! Ik heb het helemaal verkeerd aangepakt. Had ik maar eerder naar jou geluisterd.'

'Alsof ik de aangewezen persoon ben om advies te geven,' zei Penny wrang. 'Mijn eigen leven is een puinhoop.'

'Welkom bij de club dan.'

Ze keken elkaar aan en schoten onwillekeurig samen in de lach.

'Lekker stelletje zijn wij,' grinnikte Penny. 'Moet je ons nou zien zitten. Treurnis en Verdriet.'

'Leuke namen. Wat is er bij jou aan de hand?' informeerde Chantal.

'Ach.' Penny schokschouderde. 'Van alles. Ik weet het niet meer. Huug en ik groeien uit elkaar, mijn oudste dochter wil niets van me weten, mijn werk komt me de laatste tijd onzinnig voor en ik heb het zo druk met dit alles dat ik de tijd niet heb om iets aan die puinhoop te doen. Er zal iets moeten veranderen, maar ik weet gewoon niet waar ik moet beginnen. Ik mis er de moed ook voor.'

'Volgens mij ben jij hard op weg om overspannen te raken.'

'Zelfs daar heb ik geen tijd voor. Maar goed, we hadden het niet over mij, maar over jou. Wat ga je nu doen?'

'In ieder geval morgen met Guido praten,' verklaarde Chantal. 'Hem eindelijk de waarheid vertellen. Ik ben bang dat dit gesprek tevens het einde van onze relatie is.'

'Als hij echt van je houdt, begrijpt hij je,' sprak Penny bemoedigend.

'Ik vrees dat dat te veel gevraagd is. Misschien als ik het meteen had gezegd. Ik zal moeten afwachten hoe het loopt, maar mijn besluit staat in ieder geval vast. Ik wil niet trouwen. Gek, maar ondanks de ellende van dit moment en de angst om Guido kwijt te raken voel ik me opgelucht. Gelukkig heb ik de huur van mijn flat nog niet opgezegd,' ontdekte ze. 'Dan had ik nog op straat gestaan ook.'

'Dat is niet aan de orde, maar anders was daar ook wel weer een oplossing voor gekomen,' zei Penny terwijl ze opstond en haar kleine espressoapparaat inschakelde.

'Het is anders niet zo dat ik bergen familieleden heb bij wie ik terechtkan onder dergelijke omstandigheden,' zei Chantal spottend. 'Mijn twee broers zie ik nooit, mijn vader leeft niet meer en mijn moeder is dement. Zij woont in een zorgcentrum en herkent me niet eens meer.'

'Dan had je bij mij mogen logeren,' zei Penny hartelijk.

Chantal zuchtte en leunde achterover in de comfortabele stoel.

'Was jij maar familie van me,' wenste ze. 'Zo voelt het overigens wel. Raar hè, dat wij zo'n band hebben. Twee vreemden die door een stom toeval met elkaar in contact zijn gekomen.'

'Toeval bestaat niet. Ik heb trouwens al een paar keer gemerkt dat mensen dachten dat wij zussen zijn. We schijnen op elkaar te lijken.'

'Was dat maar waar. Mijn moeder heeft het wel al een paar keer over een zus van me gehad, helaas zijn haar woorden niet echt betrouwbaar.'

'Misschien heeft ze ooit een dochtertje verloren tijdens de zwangerschap of zo. Zoiets hoor je wel vaker. Op de een of andere manier gaat dat dan toch weer leven bij dementerende mensen,' peinsde Penny. 'Omdat ze de realiteit niet meer zien en niet kunnen vatten, halen ze alles door elkaar.'

Chantal schudde haar hoofd. 'Dan nog klopt haar verhaal niet. Ik ben geadopteerd en als ze zich ineens iets van vroeger herinnert en daarover praat, kom ik niet in die verhalen voor. Het gemis van de bloedband... Wat is er?' viel ze zichzelf in de rede.

Penny zat haar met ogen als schoteltjes aan te staren.

'Ben jij geadopteerd? Dat meen je niet! Ik ook.'

'Weer zo'n vreemd toeval. We hebben blijkbaar toch meer overeenkomsten dan we zelf dachten.'

'Sterker nog, ik ben op dezelfde dag jarig als jij. We zijn exact even oud.'

De twee vrouwen keken elkaar peilend aan, bij allebei kwamen gedachten op die ze niet hardop uit durfden te spreken. Dit was zo onwerkelijk en bizar.

'Denk jij wat ik denk?' zei Penny voorzichtig.

'Dat kan niet. Dat zou té fantastisch zijn.' Chantal schudde haar hoofd. 'Ik durf het niet eens te denken.'

'Het zou wel veel verklaren. We zijn allebei geadopteerd.'

'Zoals duizenden mensen,' viel Chantal haar abrupt in de rede.

'We zijn even oud en op dezelfde dag jarig,' ging Penny onverstoorbaar verder. 'We lijken op elkaar.'

'Welnee. Jouw haren zijn rood, de mijne zwart,' zei Chantal onlogisch.

'Mijn haar is geverfd. Van nature ben ik donkerblond.'

Chantal beet op haar lip. 'Ik ook,' gaf ze kleintjes toe. 'Maar dan nog. Half Nederland is donkerblond.'

'Jouw adoptiemoeder heeft al een paar keer iets over je zus gezegd.'

'Mijn adoptiemoeder is niet toerekeningsvatbaar.'

'Oké, het klinkt vergezocht, maar het zou zomaar kunnen,' zei Penny. 'Voor mij vallen er nu een heleboel puzzelstukjes op zijn plaats. Wat weet jij van je biologische ouders?'

'Weinig. Mijn adoptiemoeder was een nicht van mijn echte moeder, dus toen zij vlak na mijn geboorte zelfmoord pleegde, was het logisch dat ik bij gebrek aan andere familie bij hen in huis kwam. Ze hebben me geadopteerd.'

'En je vader?'

'Die is ervandoor gegaan toen mijn moeder zwanger bleek te zijn.'

'Ik durf het bijna niet te zeggen, maar dit lijkt heel sterk op mijn verhaal,' zei Penny schor. 'Ook mijn moeder is vlak na de geboorte overleden, mijn vader is onbekend. Ik weet alleen niet wat de doodsoorzaak van mijn moeder is. Bij ons thuis werd er nooit over haar gepraat.'

'Dan zou ze dus een tweeling gekregen hebben,' merkte Chantal op. 'In dat geval zouden onze adoptieouders dat heus wel verteld hebben.'

'Of niet. Ik heb altijd het gevoel gehad dat ik iets mis, dat er iets ontbreekt in mijn leven. Iets of iemand, daar heb ik nooit goed de vinger op kunnen leggen. Zo'n vaag, onbestemd gevoel. Een onverklaarbare leegte.'

Chantal trok wit weg bij Penny's woorden.

'Een gat in je hart,' zei ze toonloos.

Penny keek verrast op.

'Precies. Hoe weet je dat?'

'Omdat ik exact hetzelfde voel.'

Sprakeloos keken ze elkaar aan. Dit verhaal had zo veel overeenkomsten dat het geen toeval meer kon zijn, maar het hardop uitspreken was toch nog een stap te ver. Allebei waren ze bang dat ze eraan zouden toegeven, maar dat het achteraf toch niet waar zou blijken te zijn.

'Hoe komen we achter de waarheid?' vroeg Chantal uiteindelijk.

'Via mijn ouders. Ik verwacht hen binnen enkele dagen terug van hun reis, dan gaan we er samen naartoe,' zei Penny beslist. 'Ik was al van plan om met hen te praten, want ik lig de laatste tijd enorm met mezelf overhoop en ik denk zelf dat mijn onbekende afkomst daar debet aan is. Zoals ik al zei werd daar vroeger nooit over gepraat. Ik wist dat ik geadopteerd was, dat was alles. Als ik al eens vragen stelde kreeg ik daar zulke vage, ontwijkende antwoorden op dat ik al snel leerde dat het geen nut had om erover te praten. Ik heb het weggestopt.'

'Met alle gevolgen van dien,' knikte Chantal. 'Geen wonder dat jij zo veel problemen hebt en dat je vluchtte in je werk.'

'Dat onverklaarbare iets is nu in ieder geval opgelost,' zei Penny met een klein lachje. 'Ik kan me namelijk niet voorstellen dat we ernaast zitten.'

'Ik durf het nog niet echt te geloven,' bekende Chantal. 'Mijn hele leven heb ik een zus willen hebben, ik had zelfs een fantasiezusje vroeger. Ik wil het eerst heel zeker weten voor ik blij kan zijn.'

'Wacht even, ik weet wat.' Penny sprong op en liep naar een ladekast in een hoek van haar kantoor. Ze trok een la open en pakte er twee identieke, lichtbruin gekleurde pruiken uit, die ze triomfantelijk in de hoogte stak. 'Ik wist wel dat die ooit nog eens van pas zouden komen, al had ik in mijn stoutste dromen niet verwacht dat dit de reden zou zijn. Zet eens op.'

Zwijgend voldeed Chantal aan dit verzoek, al begreep ze niet direct de achterliggende bedoeling. Die werd haar even later duidelijk toen ze allebei de pruik ophadden en Penny haar meetrok naar de toiletruimte, waar een grote spiegel tegen de muur was bevestigd. Verbijsterd staarden ze naar hun spiegelbeeld. Nu er geen verschil meer was in kapsel, leken ze zo sprekend op elkaar dat ontkennen zinloos was geworden.

'Niet te geloven.' Chantals stem klonk zo zacht dat Penny haar bijna niet kon verstaan. 'Dit is... Het...' Ze schudde haar hoofd. 'Ik denk dat ik droom.'

'Nee Chantal. Het is de simpele waarheid. Wij zijn zussen. Tweelingzussen,' zei Penny.

'Dan is het in ieder geval een droom die uitkomt.' Chantal begon te lachen, tegelijkertijd stroomden de tranen langs haar wangen. 'Dit kan bijna niet waar zijn. Het klinkt als iets uit een film of een boek.'

'Het echte leven is vaak ingewikkelder en fantastischer dan schrijvers kunnen verzinnen.'

Chantal deed de pruik af, ze zette hem daarna echter meteen weer op. Haar hand gleed langs de spiegel.

'Ik zie mezelf gewoon dubbel. Wat vreemd dat een kapsel zo veel verschil kan maken.'

'Haren leiden de aandacht van een gezicht af,' wist Penny. Plotseling pakte ze Chantal vast. 'Weet je wat dit betekent? Ik ben niet langer alleen. Ik heb een echt familielid. En wat voor eentje!' De dodelijke vermoeidheid van eerder die avond was van haar afgevallen bij deze bizarre ontdekking. De wereld lachte haar ineens licht en vrolijk toe. De leegte was weg, alsof die nooit bestaan had.

'Die vreemde klik tussen ons is nu tenminste verklaard,' zei Chantal.

'We waren onzichtbaar met elkaar verbonden,' knikte Penny. 'Zonder te weten wie we waren, hebben we elkaar toch herkend. We horen bij elkaar, Chantal.'

'Dus toch een vaste verbintenis.' Weer begon Chantal hard te lachen. 'Wat ik bij Guido niet aandurf, wordt me met jou zomaar in mijn schoot geworpen.'

'Ik ben anders niet van plan om met je te trouwen, maar in ieder geval laat ik je nooit meer gaan nu ik je gevonden heb.'

Hand in hand liepen ze terug naar het kantoor. Verward, verbijsterd, maar tegelijkertijd bijzonder gelukkig met deze onverwachte wending van hun levens. De problemen waar ze ieder voor zich een uur geleden nog mee gekampt hadden, waren onbelangrijk geworden vergeleken bij deze ontdekking.

Ze bleven nog urenlang praten, zonder zich te realiseren dat de tijd voorbijging en het diep in de nacht was. Alles wilden ze van elkaar weten, tot ieder klein detail van hun levens toe, alsof ze die vijfendertig verloren jaren in één klap wilden inhalen. Ongeloof voerde nog steeds de boventoon.

'Het gaat nog heel lang duren voor ik het normaal vind om een tweelingzus te hebben,' zei Chantal, dat gevoel onder woorden brengend. 'Terwijl het tegelijkertijd heel vertrouwd voelt. Verwarring ten top.'

'Een emotionele achtbaan,' knikte Penny. Ze keek op haar horloge en schrok. 'Het is halfdrie,' zei ze ongelovig. 'Hebben we echt zo lang zitten praten?'

'Wie kan het ons kwalijk nemen?' zei Chantal met een klein lachje.

'Nou... Huug waarschijnlijk,' antwoordde Penny nuchter. 'Laten we maar naar huis gaan. Hopelijk hebben we nog heel lang de tijd om die verloren jaren te compenseren, dat hoeft niet in één nacht. Bellen we morgen?'

'Natuurlijk,' was het vanzelfsprekende antwoord van Chantal.

Penny bracht haar thuis. Voor de flat waar Chantal woonde, duurde het nog minstens een kwartier voor ze daadwerkelijk afscheid namen. Met haar hoofd in de wolken reed Penny door de donkere nacht naar huis. Precies om halfvier stak ze haar sleutel in het slot. Het was stil en donker in huis en ze hoopte maar dat Huug niet al te lang op haar gewacht had die avond. Ze kon niet wachten om hem dit fantastische nieuws te vertellen, al hield dat in dat ze hem ervoor wakker moest maken.

Dat bleek niet nodig te zijn.

'Waar kom jij vandaan?' klonk zijn nijdige stem zodra ze de kamer in liep.

Ze verstijfde van schrik.

'Huug... Je bent wakker,' stamelde ze.

'En doodongerust. Vind je dit werkelijk normaal? Op deze manier hoeft het voor mij niet meer, Penny. Ga op jezelf wonen als je toch geen rekening met je gezin wilt houden. Dat werk van je begint de spuigaten uit te lopen.'

'Ik heb niet gewerkt.' Ze knipte het licht aan en keek recht in zijn woedende gezicht.

'Niet gewerkt,' herhaalde hij langzaam. Hij kneep zijn ogen samen.

'Sst.' Ze liep naar hem toe. 'Luister alsjeblieft naar me voor je je van alles in je hoofd gaat halen. Ik heb zo'n rare, bizarre en tevens geweldige avond gehad.'

'Ik ook, al kun je in mijn geval het geweldige er wel af laten,' mompelde hij spottend. 'Je hebt zeker weer een fantastische opdrachtgever binnengehaald?'

'Iets veel mooiers. Chantal kwam bij me op kantoor en al pratende zijn we tot de ontdekking gekomen dat we zussen zijn. Tweelingzussen zelfs.' Penny kon het geen seconde meer voor zich houden.

'Je bent gek.' Huugs ogen werden groot.

'Het is echt waar. Sluitend bewijs hebben we natuurlijk nog niet, maar het kan niet anders, Huug. Daarom heb ik van het begin af aan zo'n band gevoeld met haar.'

'En daar baseer je zo'n verregaande conclusie op?'

Ze schudde haar hoofd. 'Natuurlijk niet. Alles klopt gewoon precies.' Ze trok hem naast zich op de bank en vertelde wat zij en Chantal besproken hadden. 'Zie je? Het past als een puzzel in elkaar,' eindigde ze.

'Het klinkt te mooi om waar te zijn. Als dit echt zo is...'

'Het is waar,' viel ze hem in de rede.

'Dat kun je nog niet zeker weten.'

'Ik voel het. Die verbondenheid tussen ons is er niet zomaar. We hebben elkaar herkend, al klinkt dat voor een ander waarschijnlijk vreemd. Het enige wat ons nu nog bezighoudt, is de waaromvraag. Onze ouders zijn ons heel wat uitleg verschuldigd.'

'Pin je nog niet te veel aan jullie conclusies vast,' waarschuwde Huug.

'Jij hebt ons niet gezien toen we dezelfde pruiken ophadden, al had ik die bevestiging voor mezelf niet meer nodig. Weet je waardoor ik het honderd procent zeker weet?' Ze keek hem ernstig aan. 'Ik voel me bevrijd. Mijn leegte is weg. We zijn allebei niets tekortgekomen vroeger, maar we hebben wel iets gemist, namelijk elkaar. Dat gemis is nu opgevuld. Voor het eerst van mijn leven voel ik me compleet.'

'In dat geval is dit inderdaad fantastisch nieuws. Ik weet hoe je daarmee worstelde, al heb ik het nooit echt begrepen. Je leven is altijd zo overvol geweest.'

'Dat was pure compensatie. Voor Chantal op de stoep stond was ik al tot de conclusie gekomen dat mijn werk me niet bevredigt en dat ik me daar alleen maar op gestort heb om mijn gedachten af te leiden van wat me werkelijk bezighield. Gedachten die ik de laatste tijd steeds minder goed kon onderdrukken. Ik begrijp nu ook waarom, want dat is begonnen sinds Chantal in mijn leven opdook. Onbewust heb ik het blijkbaar aangevoeld,' peinsde Penny.

'Betekent dit dat je stopt met werken?' vroeg Huug plagend. Het was bedoeld als grapje, maar tot zijn grote verbazing ging Penny daar serieus op in.

'Wie weet. Het maken van reclamecampagnes stelt niets voor vergeleken bij al het andere wat ik heb, daar kom ik steeds meer achter. Ik vind geen voldoening meer in mijn werk. De laatste weken drijf ik puur op plichtsgevoel, niet meer op passie. Het begint me boven het hoofd te groeien. Het is tijd voor verandering, Huug, dat besef ik steeds meer.'

Zwijgend trok hij haar naar zich toe. Huug had een ellendige avond achter de rug terwijl hij tevergeefs op zijn vrouw wachtte. In gedachten had hij hun huwelijk al ineen zien storten. Dat het nu ineens de andere kant op leek te gaan stemde hem zo gelukkig dat hij het amper kon vatten. Penny was alles voor hem, dat was hem juist in die donkere uren heel duidelijk geworden.

Al met al was het op diverse fronten een gedenkwaardige avond geworden. Huug zegende het feit dat Chantal een jaar geleden de verkeerde ziekenhuiskamer binnen was gelopen. Dat kleine, onbeduidend lijkende incident had verstrekkende gevolgen voor hen allemaal. Positieve gevolgen.

HOOFDSTUK 17

Tegen haar verwachting in lukte het Chantal toch om nog een paar uur te slapen. Halverwege de ochtend werd ze wakker, met slechts één gedachte in haar hoofd. Ze had een zus! Een echte zus, geen fantasie dit keer. Dit besef was zo veelomvattend dat er geen ruimte voor iets anders was. Zelfs het incident met Andreas en de wetenschap dat ze Guido moest vertellen dat ze niet met hem kon trouwen, was voor even naar de achtergrond geschoven. Vergeleken bij de ontdekking van gisteravond leek dat slechts een bagatel. Ze had een zus! Een langgekoesterde droomwens ging hiermee in vervulling.

Nadat ze een douche had genomen en zich had aangekleed, besloot ze eerst Guido te bellen. Hij moest als eerste weten wat er allemaal gebeurd was. Ze pakte haar telefoon, maar voordat ze zijn nummer kon intoetsen, ging haar deurbel. Dat zou ongetwijfeld Penny zijn, dacht Chantal. Die was uiteraard net zo hoteldebotel als zijzelf. Ze was daar zo van overtuigd dat ze verbaasd naar Guido staarde toen ze de deur geopend had.

'Guido.'

'Guido, ja.' Zijn stem klonk hard. Zonder haar een zoen te geven beende hij langs haar heen naar binnen.

'Ik wilde je net bellen,' zei Chantal, als bewijs van die woorden haar telefoon omhooghoudend.

'Je had me zeker iets te vertellen,' zei hij sarcastisch.

'Nou en of.' Zijn sarcasme ontging haar volledig, daarvoor zat ze te vol met andere zaken. 'Dit ga je vast niet geloven.'

'Ik kon mijn oren inderdaad niet geloven toen ik Andreas sprak,' merkte hij grimmig op. 'Wat is hiervan waar, Chantal?'

'Andreas...' Ze liet haar hand zakken, haar gezicht

werd bleek. De herinnering aan de vorige avond stond haar ineens weer helder voor ogen. 'Wat heeft hij je verteld?'

'Hopelijk niet de waarheid, maar je gezicht zegt me genoeg. Je was dus bij hem gisteravond.' Zijn mond vertrok tot een smalle streep. 'En je zou makkelijk met hem het bed in zijn gedoken, nota bene een week voor onze trouwdag! Ik veronderstel dat ik nog blij moet zijn dat het ervoor is gebeurd en niet erna.' Zijn stem sneed. 'De ellende van een scheiding wordt me hierdoor tenminste bespaard.'

'Laat het me uitleggen.'

'O, je hebt er een verklaring voor?' klonk het honend. 'Ik kan veel begrijpen en veel tolereren, Chantal, maar ontrouw hoort daar absoluut niet bij. Daar is geen enkel excuus voor te verzinnen.'

'Ik ben je niet ontrouw geweest,' wierp ze tegen.

'Maar dat was niet aan jezelf te danken.'

'Ik was in de war en ik...'

'Hou op!' onderbrak Guido haar hard. 'Ik heb er geen behoefte aan om naar jouw smoesjes te luisteren. De enige reden waarom ik naar je toe ben gekomen, is omdat ik hoopte dat het niet waar was, dat Andreas, om wat voor reden dan ook, dit verhaal uit zijn duim had gezogen.'

'Ik dacht dat je naar me toe was gekomen om mijn kant van het verhaal aan te horen,' zei Chantal spits.

'Is er een andere kant dan? Andreas' verhaal was maar voor één uitleg vatbaar. Bah, Chantal, wat val jij me tegen! Ik had je veel hoger ingeschat.'

Met vuurschietende ogen stond hij voor haar. De moed zakte Chantal in de schoenen. Zo woedend had ze hem nog nooit meegemaakt. Haar mededeling dat ze niet met hem wilde trouwen hoefde ze in ieder geval niet meer te doen. Ze had de kans om hun relatie te redden na dat gesprek al heel klein ingeschat, maar nu was hij helemaal verkeken, zoveel was wel duidelijk. Guido was niet voor rede vatbaar. Misschien begrijpelijk, toch kwam haar trots in opstand.

'Als je niet bereid bent te luisteren naar wat ik te zeggen heb, heb ik liever dat je vertrekt,' zei ze op hoge toon.

'Alsof ik langer wil blijven,' snoof hij. 'Ik weet nu tenminste wat ik moet weten.'

'Nee, alleen wat je wilde weten en dat is niet mijn kant van het verhaal,' riep ze hem na terwijl hij de deur uit stormde. Ze zag dat hij inhield en heel even vlamde de hoop in haar hart op dat hij alsnog naar haar wilde luisteren, maar zonder zich om te draaien liep hij toch verder. Zacht sloot ze de deur en duizelig liet ze zich op haar bank zakken. De gebeurtenissen volgden elkaar ineens zo snel op dat ze niet eens wist hoe ze zich moest voelen. Blij, verdrietig, verward, gelukkig, vernederd of verbaasd. Wat door haar lijf en hoofd raasde, was van alles een beetje. Ze was haar vriend kwijt, maar had haar zus gevonden. Op dat moment wist ze nog niet of het ene het andere ophief. Ze had Guido niet eens kunnen vertellen van Penny, ontdekte ze.

De dozen waarin ze haar spullen aan het pakken was, stonden nog open op de grond. Chantal staarde ernaar alsof het buitenaardse voorwerpen betrof. Sinds ze hier gisteren mee bezig was geweest, was er zo veel gebeurd, zo veel veranderd. Het leek of ze droomde, alleen was ze er nog niet over uit of het een nachtmerrie of een fijne droom was. In ieder geval een heel onwerkelijke. Haar hoofd tolde ervan.

Automatisch begon ze de dozen weer uit te pakken. Ze moest iets te doen hebben, anders werd ze echt gek. Ze had er rekening mee gehouden dat Guido hun relatie zou verbreken, maar de manier waarop dit gegaan was, had ze niet verwacht. Het was ook niet in haar opgekomen dat Andreas meteen aan hem zou vertellen wat er gebeurd was, anders had ze hem gisteravond zelf wel meteen gebeld. Op zich was het niet vreemd dat hij woedend was. Andreas was al jaren zijn beste vriend, hij had geen enkele reden om hem niet te geloven. Trouwens, Andreas had niet anders gedaan dan de waarheid vertellen, zelfs Chantal kon niet anders dan dat toegeven. De reden voor haar gedrag was een heel ander verhaal. Maar hoe kon ze verwachten dat Guido dat zou begrijpen als ze zichzelf niet eens begreep? Ze had het zelf veel te ver laten komen, wat dat betrof kon ze niemand iets kwalijk nemen, behalve zichzelf. Het zou alleen prettig zijn geweest als Guido naar haar had willen luisteren. Nu liep hij rond met het idee dat ze een makkelijk te versieren vrouw was die geen enkele waarde hechtte aan trouw, en zo was het absoluut niet.

Maar wellicht was het beter dat hij dit dacht. Dat maakte het misschien makkelijker voor hem. Nu kon hij zijn hoofd hoog houden en zeggen dat hij de bruiloft had afgeblazen omdat ze niet te vertrouwen bleek te zijn. Dat was toch heel iets anders dan moeten bekennen dat je bruiloft niet doorging omdat de bruid je op het laatste moment had laten zitten, met geen andere reden dan dat ze niet wilde. Alleen voor haarzelf was het moeilijk te verteren dat hij nu zo slecht over haar dacht. Daarvoor was alles wat ze samen hadden gedeeld, veel te mooi geweest.

Dat alles had ze nog steeds kunnen hebben als ze eerlijk tegen hem en tegen zichzelf was geweest. Als ze gewoon ronduit had gezegd dat ze van hem hield, maar niet wilde trouwen. Plotseling liepen de tranen over Chantals wangen. *Geen groter verwijt dan zelfverwijt*, luidde het spreekwoord. Nooit eerder had ze beseft hoe waar deze uitdrukking was. Dit was allemaal haar eigen schuld, al was het dan ontstaan uit de goede bedoeling dat ze Guido niet voor schut hadden willen zetten nadat hij zijn aanzoek had gedaan ten overstaan van alle gasten die op haar verjaardag waren gekomen. Ze had de dag erna met hem kunnen praten en hem kunnen uitleggen hoe ze zich voelde.

Maar dat was allemaal achteraf gepraat, daar had ze nu niets meer aan. Het was uit tussen hen. Weer een wens die uitgekomen was: ze hoefde niet te trouwen. Maar ze voelde geen opluchting. Wat ze echt had gewild, was haar relatie met Guido voortzetten zoals die was geweest voor haar verjaardag. Die kans leek nu voorgoed verkeken.

Chantal was vaak verliefd geweest, maar nu was ze de enige man kwijtgeraakt van wie ze echt hield.

Ze schrok op van haar rinkelende telefoon. Hoopvol pakte ze meteen op.

'Hoi zus,' klonk het in haar oor.

Ze lachte door haar tranen heen. Ze had nooit geweten dat een mens tegelijkertijd blij en verdrietig kon zijn, toch was het zo.

'Wat klinkt dat leuk,' lachte ze.

'Vreemd hè? Heb jij nog kunnen slapen vannacht?' vroeg Penny.

'Wonder boven wonder wel, al was het kort.'

'Ik heb mijn bed nog helemaal niet gezien. Huug en ik hebben nog heel lang zitten praten en net toen we besloten nog even te gaan slapen, werd Sarah wakker. Het gekke is dat ik niet eens moe ben. Voor het eerst in weken niet, voor mijn gevoel.'

'Dat komt door de adrenaline,' wist Chantal. 'Dat pept een mens op.'

'Hm, zo klink jij anders niet. Ik heb je weleens vrolijker gehoord.'

'Het is uit met Guido,' vertelde Chantal zonder omwegen. 'Nog voordat ik hem kon bellen, stond hij vanochtend voor mijn deur. Andreas heeft hem verteld wat er tussen ons voorgevallen was. Hij was woedend. Naar mij wilde hij niet luisteren.'

'Ach nee,' schrok Penny. 'Wat erg voor je. Ik had meer begrip van hem verwacht.'

'Na Andreas' verhaal kan ik het hem niet kwalijk nemen. Hoe reageerde Huug eigenlijk vannacht?' veranderde Chantal snel van onderwerp. Ze wilde niet over Guido praten, want dan begon ze geheid weer te huilen. Voor haar gevoel waren haar tranen nog lang niet op.

Ze kletsten nog een tijdje voordat Penny met het doel van haar telefoontje voor de dag kwam.

'Mijn ouders zijn terug van hun reis. Ze belden me net, ik heb een afspraak met hen gemaakt voor morgenochtend. Twaalf uur. Kun jij dan?'

'Al moet ik alles afzeggen, ik ga mee. Heb je hun nog niets verteld?'

'Nee, maar het kostte me wel enorm veel moeite om normaal te doen,' bekende Penny. 'Ik ben toch wel heel benieuwd naar hun verklaring waarom ze een tweeling uit elkaar hebben gehaald.'

'Ik hoop dat hun uitleg afdoende is, want aan mijn ouders kan ik het niet meer vragen,' zei Chantal. 'Vind je het geen bizar idee dat we dit nooit te weten waren gekomen als wij elkaar niet toevallig hadden ontmoet?'

'Voorlopig vind ik het idee dat we het wel weten bizar genoeg, ik ga me niet verdiepen in wat had kunnen zijn. Bizar, maar wel ontzettend fijn. Kom vanavond naar ons toe,' stelde Penny voor. 'Dan kun je mijn kinderen leren kennen. Huug vindt het ook fijn om je weer te zien.'

'Dolgraag,' nam Chantal dit aanbod gretig aan. Ze verlangde ernaar om Penny te zien, al was het slechts een paar uur geleden dat ze afscheid hadden genomen.

Ze had het gesprek nog maar net beëindigd toen haar telefoon opnieuw overging. Gerdien, zag ze op het schermpje. Even stond ze in tweestrijd of ze op zou nemen of niet. Misschien belde Gerdien alleen voor een kletspraatje, zoals ze wel vaker deed. De kans was groot dat ze nog nergens van wist. Was zij dan de aangewezen persoon om het haar te vertellen? Kon ze dat niet beter aan Guido overlaten? Maar nee, ze was laf genoeg geweest, daar ging ze niet weer mee beginnen, besloot ze toen. Net voor haar voicemail het gesprek aannam, nam ze op.

'Hoi, met Chantal,' zei ze. Haar stem klonk bibberig. Koortsachtig vroeg ze zich af hoe ze Gerdien het nieuws moest brengen. Het was echter niet nodig om Gerdien op de hoogte te stellen, merkte ze meteen.

'Meiske, wat heb ik nu allemaal gehoord?' viel Gerdien met de deur in huis. 'Ik kan het gewoon niet geloven. Is het waar wat Guido vertelde?'

'Het is uit tussen ons,' bevestigde Chantal. De tranen sprongen alweer in haar ogen. Driftig wreef ze eroverheen. Ze werd gek van zichzelf met al die gevoelens die elkaar zo snel afwisselden.

'Maar toch zeker niet omdat je hem bedrogen hebt met Andreas? Zeg alsjeblieft dat dat niet waar is! Zo ben jij niet.'

'Wat lief dat je dat zegt,' zei Chantal geëmotioneerd. 'Het is een lang verhaal, Gerdien.'

'Ik heb de tijd,' zei Gerdien resoluut. 'Kom maar op.'

'Ik weet niet goed waar ik moet beginnen. Al voor Guido's aanzoek, denk ik. Dat overviel me heel erg. Ik wilde helemaal niet trouwen,' zei Chantal, zoekend naar de juiste woorden.

'Ik dacht dat je van hem hield,' zei Gerdien. Ze kon de teleurstelling niet uit haar stem weren bij deze woorden.

'Dat doe ik ook,' verzekerde Chantal haar haastig. 'Vanaf onze eerste avond al, zelfs. Zodra we elkaar ontmoetten, was het raak, dat voelden we allebei. Het was zo'n bijzondere avond.'

'Vanwaar dan je tegenstand?'

'Dat weet ik niet,' antwoordde Chantal eerlijk. 'Ik

heb dat altijd al gehad. Het huwelijk als instituut zegt me helemaal niets, dat vind ik iets onzinnigs. Daarbij wil ik me niet voorgoed vastleggen. Verbondenheid en trouw naar elkaar zijn vanzelfsprekende zaken binnen een goede relatie, dat hoef je niet op schrift te hebben of elkaar plechtig te beloven. Ik wil ook niet samenwonen, want dat komt op hetzelfde neer.'

'Je wilt je vrijheid houden,' constateerde Gerdien.

'Niet helemaal. Ik durf best een hechte relatie aan te gaan. Die hadden we trouwens al. Ik wil alleen geen beloften doen over een periode die ik niet kan voorzien. Zeker geen officiële beloften. Dergelijke banden benauwen me. Sorry dat ik het niet beter uit kan leggen, het is moeilijk onder woorden te brengen.'

'Ik denk dat ik het wel begrijp. Waar ik mee zit, is de vraag waarom je dit nooit aan Guido hebt verteld.'

'Dat heb ik wel,' reageerde Chantal verbaasd. 'Natuurlijk wel. Onze relatie zou weinig voorstellen als we niet over dergelijke zaken hadden gepraat. Hij wist precies hoe ik erover dacht, alleen kreeg hij het idee dat ik daar overheen aan het groeien was. Ik zei bijvoorbeeld hoe blij ik was met jullie als schoonouders. Uit dat soort opmerkingen leidde hij af dat ik wel wilde.'

'Je hebt ja gezegd,' zei Gerdien.

'Wat kon ik anders op dat moment? Ik had de dag erna meteen met hem moeten praten, tot dat besef ben ik zelf inmiddels ook gekomen. Mijn enige reden om dat niet te doen, was angst. Ik was bang om Guido, en daarmee ook jullie, kwijt te raken. Trouwen was altijd nog beter dan alles verliezen. Met dit als resultaat,' zei Chantal triest.

'Eigenlijk draait alles dus om één groot misverstand,' concludeerde Gerdien. 'Mooi, dan is er nog hoop voor de toekomst.'

'Jij bent optimistischer dan ik, maar jij hebt Guido vanochtend dan ook niet gezien. Hij was razend.'

'Ik heb hem wel gehoord. Hij was kapot van verdriet,' verbeterde Gerdien. 'Wat niet vreemd is, gezien de omstandigheden. Het spijt me dat het allemaal zo gelopen is, Chantal. Adriaan en ik hadden jou graag als schoondochter gehad. Nog steeds, trouwens.'

'Dank je wel, dat vind ik zo lief.' De tranen stroomden alweer over Chantals wangen. Ze leek wel lek, ze had in jaren niet zo veel tranen vergoten als in de afgelopen vierentwintig uur. 'Ik had het kunnen begrijpen als jullie kwaad waren geweest.'

'Over het algemeen ligt het aan twee mensen als een relatie stukloopt, niet aan slechts eentje. Jullie zijn allebei niet echt handig bezig geweest, begrijp ik. Guido had zijn aanzoek niet in een volle zaal moeten doen, daarmee dwong hij je in een hoek.'

'Het was wel lief bedoeld van hem,' verdedigde Chantal hem. 'Als ik wel graag had willen trouwen, had ik dit geweldig gevonden.'

'Ik hoop dat jullie binnenkort beiden voldoende afgekoeld zijn om rustig met elkaar te praten en alle misverstanden de wereld uit te helpen,' wenste Gerdien. 'Guido kennende zou het me niet eens verbazen als hij morgenochtend op je stoep staat.'

'Dan komt hij voor niets, ik ben er morgen niet,' merkte Chantal op. Het gesprek met Gerdien had alles voor een paar minuten op de achtergrond gedrongen, nu lag het hele verhaal echter weer op het puntje van haar tong. Ze moest het met iemand delen voordat ze knapte. 'Morgen ga ik namelijk met mijn tweelingzus naar haar ouders om opheldering te vragen over waarom we als baby's van elkaar gescheiden zijn.'

'Hè?' Het was Gerdien niet kwalijk te nemen dat ze naar lucht hapte en ze zich heel even afvroeg of Chantal haar verstand had verloren door de breuk met Guido. Misschien had hij hun relatie toch niet voor niets verbroken, schoot het zelfs door haar hoofd.

Ondanks haar verdriet lachte Chantal luid. 'Ik weet het, dit klinkt meer dan belachelijk, toch is het de waarheid. O Gerdien, mijn leven is momenteel zo'n emotioneel circus. Ik weet zelf niet eens hoe ik me voel.'

Uitgebreid deed ze het hele verhaal uit de doeken, blij het eindelijk eens aan iemand te kunnen vertellen. Dat maakte alles een stuk reëler.

'Guido weet het niet eens,' eindigde ze.

'Kind, dit verhaal is een film waard,' zuchtte Gerdien. 'Wat fijn voor je. Hou me op de hoogte van het vervolg.'

Ze begreep ineens een stuk meer van deze op het oog ongecompliceerde, jonge vrouw. Dit laatste nieuws verklaarde in ieder geval waarom Chantal die ochtend zo vrolijk was geweest, iets wat Guido zijn moeder op bittere toon had verteld.

'Ze was zo vrolijk toen ik bij haar kwam, ze voelde zich niet eens schuldig vanwege alles wat er met Andreas gebeurd was,' had hij gezegd.

Het werd tijd om eens een goed gesprek met haar zoon te voeren, nam ze zich grimmig voor.

Chantal voelde zich duizelig nadat het gesprek met Gerdien was beëindigd. Niet zo vreemd, ontdekte ze. Het was inmiddels al middag en ze had nog niet eens gegeten. Dit was ook zo'n rare dag. Blijdschap, verdriet en verbijstering volgden elkaar in een snel tempo op. Ze had nog niets gedaan, toch was ze moe. En er stond haar nog het nodige te wachten aan emoties, wist ze. Vanavond de hernieuwde kennismaking met Penny's gezin, nu in haar rol van familielid, en morgen de confrontatie met Penny's ouders. Ze kon zich er geen voorstelling van maken hoe dat gesprek zou verlopen. Het liefst was ze onmiddellijk naar die mensen toe gegaan. Penny en zij hadden vannacht nog lang zitten speculeren over hoe alles gegaan moest zijn na hun geboorte, maar zonder verklaring van de mensen die erbij betrokken waren geweest, konden ze er uiteraard geen touw aan vastknopen en bleef het koffiedik kijken.

In ieder geval moest ze Guido nu even uit haar hoofd zetten, hoe moeilijk dat ook was. Twee van zulke ingrijpende gebeurtenissen tegelijkertijd kon ze niet aan. Eerst het verhaal over haar afkomst, dan de rest, besloot Chantal.

HOOFDSTUK 18

Tot het uiterste gespannen belde Penny aan bij haar ouderlijk huis. Ze had de hand van Chantal stevig in de hare. Dit was het dan, het moment van de waarheid. Ze hoopte dat al hun vragen beantwoord konden worden. Vooral de meest prangende vraag, namelijk waarom ze destijds van elkaar gescheiden waren. Ze kon er geen enkele aannemelijke reden voor verzinnen.

'Ik ben zenuwachtig,' bekende Chantal bibberend.

'Dan ben je de enige niet,' zei Penny. Haar mond voelde droog aan, in tegenstelling tot haar handen, die klam waren. Voor Chantal moest dit nog moeilijker zijn, begreep ze. Zij stond straks tegenover totaal onbekende mensen.

Wim opende de deur. Hij keek verbaasd naar zijn dochter en de vreemde vrouw naast haar.

'Hoi pap,' zei Penny schor. Ze trok Chantal naar voren. 'Dit is Chantal. Volgens mij ken je haar.'

'Chantal...' herhaalde hij langzaam. Hij leek even te wankelen.

'Ze is mijn tweelingzus, toch?' kwam Penny direct ter zake. Ze kneep Chantals hand haast fijn op dit cruciale moment. Ze had geen flauw benul wat ze moest doen als haar vader ontkennend zou antwoorden of, nog erger, zou gaan lachen en vragen waar ze dat onzinnige idee vandaan haalde. Dat gebeurde echter niet.

'Chantal,' herhaalde Wim. 'We hebben ons vaak afgevraagd hoe het met je ging. Kom binnen.' Hij opende wijd de deur, liep toen zelf als eerste terug naar de kamer. 'Ankie. Je raadt nooit wie hier is.'

'Penny toch?' hoorden ze Ankies vragende stem.

'Ja, maar ze is niet alleen. Ze heeft Chantal bij zich.'

'Chantal? Dé Chantal?' schoot Ankies stem hoog uit.

'Ik heb een populaire naam,' giechelde Chantal nerveus tegen Penny. 'Ze blijven hem maar herhalen.'

'Ze weten in ieder geval wie je bent,' zei Penny grimmig. Sinds hun ontdekking had ze zelf nog geen moment aan hun verwantschap getwijfeld, maar nu het inderdaad bevestigd was, begon ze voor het eerst kwaad te worden over de gang van zaken. Haar ouders hadden haar iets heel belangrijks ontnomen. Ze was opgegroeid met het voortdurende besef dat ze iets miste en dat had niet gehoeven.

'Hallo moeder,' zei ze koel. 'Mag ik jullie voorstellen aan mijn tweelingzus?'

'Dit is niet te geloven,' zei haar moeder. Ze sloeg haar handen in elkaar en keek beurtelings van Penny naar Chantal. 'Hoe hebben jullie elkaar gevonden?'

'In ieder geval niet dankzij jullie,' antwoordde Penny. 'En ik wil toch wel heel graag weten wat daar de reden van is.'

'Dat is een lang verhaal,' zei Wim nu. 'Ga zitten.' Hij gebaarde naar de bank.

Nog steeds hand in hand namen Penny en Chantal plaats. Chantal had nog geen woord gezegd. Haar hart klopte zo luid dat ze dacht dat iedereen in de kamer het moest kunnen horen en haar handen trilden.

'Dit is een behoorlijke schok,' zei Wim.

'Kun je nagaan hoe het voor ons was,' reageerde Penny fel. 'Jullie hebben altijd geweten dat wij met zijn tweeën waren. Waarom? Wat is precies ons verhaal? Ik twijfel nu aan alles, eerlijk gezegd. Er is nooit openlijk gepraat over alles wat er aan mijn komst, onze komst, vooraf is gegaan. Het bleef allemaal vaag en ongrijpbaar.'

'Dat leek ons beter voor jou,' zei Ankie. 'We hebben zelf ook onze twijfels gehad of we daar goed aan deden, maar jouw belang heeft altijd vooropgestaan, dat moet je geloven.'

'Ik geloof helemaal niets meer,' zei Penny strak.

'Vertel alsjeblieft alles vanaf het begin,' verzocht Chantal. Het was het eerste wat ze zei. 'Onze moeder heeft niet één, maar twee baby's ter wereld gebracht. Waarom is Penny bij jullie terechtgekomen en ik bij de familie Peereboom? Kenden jullie elkaar?'

Wim knikte. 'Alida is een nichtje van Lidewij, jullie biologische moeder. Wij waren min of meer met Lidewij bevriend. Ze woonde naast ons en ze gebruikte ons eigenlijk als toevluchtsoord. Wij waren destijds al getrouwd en hadden twee kinderen, net als Alida en Henk. Lidewij was...' Hij aarzelde even en keek hulpzoekend naar zijn vrouw.

'De waarheid graag,' zei Penny. 'Ook als die niet prettig is om te horen. Ik ben inmiddels vijfendertig, ik kan wel iets hebben.'

'Lidewij was labiel,' zei Wim. 'Het is inderdaad geen prettig verhaal en we hebben altijd gehoopt jou dit te kunnen besparen.'

'Ik hoef niet langer ontzien te worden, ik ben geen kind meer,' zei Penny nu iets vriendelijker.

'Jullie moeder had het moeilijk. Ze was een tikje wereldvreemd. Een kind nog, eigenlijk. Niet in leeftijd, wel in gedrag. Ze kon niet echt voor zichzelf zorgen. Het enige wat ze wilde, was een eigen gezin, een man en kinderen. Ze had een paar keer een relatie gehad, maar die waren op niets uitgelopen, mede omdat ze zich altijd zo afhankelijk opstelde. Het klinkt hard, maar ze had geen eigen persoonlijkheid. Ze hing haar geluk op aan de mannen in haar leven. Op haar tweeëntwintigste ontmoette ze Jan.'

'Onze vader,' begreep Chantal.

'Jullie verwekker,' zei Ankie. 'Een vader kan ik hem niet noemen. Jan was getrouwd en toen bleek dat Lidewij zwanger was, werd het hem te heet onder de voeten. Hij liet haar in de steek.'

'Lidewij kon de waarheid niet onder ogen zien,' ging Wim verder. 'Ze bleef koppig geloven dat Jan bij haar terug zou komen als ze eenmaal haar kindje had ge-

kregen. In haar fantasieën zou hij op slag van de baby gaan houden en zijn vrouw verlaten om samen met haar en hun kind verder te gaan. Zeker toen ze hoorde dat ze een tweeling zou krijgen. Ze zag dat als een teken. Maar natuurlijk gebeurde dat niet. Nadat ze van jullie bevallen was, belde ze Jan op en hij heeft haar te verstaan gegeven dat hij niets meer met haar te maken wilde hebben. Hij beweerde zelfs dat de kinderen onmogelijk van hem konden zijn en beschuldigde haar ervan dat ze met verschillende mannen naar bed ging. Voor Lidewij was dat de druppel. Ze kon het niet aan.'
Wim stopte met praten en staarde naar de muur achter Penny en Chantal. Het was voor iedereen duidelijk dat de herinneringen hem erg aangrepen.

'Dus pleegde ze zelfmoord,' zei Chantal ineens luid in de stille kamer.

Wim en Ankie wisselden een snelle blik met elkaar, er hing ineens een onverklaarbare spanning.

'We vonden haar toen ze in het trapgat hing,' zei Wim moeilijk. 'We hadden een sleutel van haar huis en gingen iedere avond even bij haar langs als de kraamhulp weg was. Ze had verder niemand.'

'Ze had zichzelf opgehangen?' vroeg Penny met afgrijzen in haar stem. 'Wat vreselijk. Dus zelfs wij, haar kinderen, gaven haar niet genoeg redenen om te leven?'

'Ze was labiel, zoals Wim al zei,' antwoordde Ankie daarop. 'Val haar niet te hard, ze heeft een moeilijk leven gehad. Al haar hoop was gevestigd op Jan, hij was degene die haar gelukkig moest maken. Een onrealistisch verlangen, maar dat zag ze niet in. Toen hij haar in de steek liet, had ze geen hoop meer.'

'Wat een afschuwelijke dood,' zei Chantal zacht.

Weer ging er een blik tussen Wim en Ankie over en weer, iets wat Penny niet ontging. Er was meer, ze voelde het.

'Wat verzwijgen jullie?' vroeg ze scherp.

'Lidewij leefde nog,' zei Ankie. 'We waren bij haar voordat haar hart ermee stopte. Door het zuurstofgebrek had ze echter zo veel hersenschade opgelopen dat ze niet meer normaal kon functioneren. Vrijwel ieder gebied in haar hersens was aangetast. Ze was veranderd in een geestelijk wrak, een kasplantje. Vanuit het ziekenhuis is ze in een tehuis voor mensen met niet-aangeboren hersenletsel gaan wonen. Ze moet met alles geholpen worden. Ze kan niet lopen, niet zelf eten, niet goed praten. Ze draagt luiers omdat ze haar spieren niet kan beheersen en alles laat lopen.'

'Je praat in de tegenwoordige tijd,' constateerde Penny. Ze kon zelf amper geloven wat ze hoorde. Aan de druk van Chantals vingers om haar hand heen voelde ze dat zij het ook begreep.

Wim knikte. 'Lidewij is nu achtenvijftig, ze woont nog steeds in dat tehuis. Er is geen enkele verbetering in haar toestand gekomen, dat kan ook niet meer. Haar hersens zijn zodanig beschadigd dat al snel duidelijk werd dat er geen enkele kans op genezing was.'

'Ze leeft? Onze moeder leeft nog?' vroeg Penny ademloos. 'Waarom is dat nooit verteld? Waarom hebben jullie gezegd dat ze dood is? Jullie hebben me mijn zus én mijn moeder onthouden!'

'Lidewij kon jullie moeder niet meer zijn. Wij besloten dat we jou beter konden laten opgroeien in het besef dat je helemaal geen moeder had. Dat leek ons minder belastend dan je op te zadelen met een moeder die in een hoekje weg zit te kwijnen. Een vrouw die absoluut niets kan, die jullie ook niet meer herkende. We hebben er destijds met Henk en Alida over gepraat en allemaal waren we het erover eens dat we jullie dit niet aan konden doen. Het zou te zwaar voor jullie zijn. Bovendien hadden we dan ook moeten vertellen wat er allemaal gebeurd was. Kinderen kunnen een dergelijk verhaal niet aan,' vertelde Ankie.

'Ik ben vijfendertig. Al vijftien jaar volwassen. Ik kan me best voorstellen dat jullie het kind dat ik was wilden beschermen, maar daarna? Is het nooit in jullie opgekomen dat ik dit wilde weten?' vroeg Penny zich hardop af.

'Vaak genoeg,' bekende Wim. 'Maar hoe gaat zoiets? Het wordt weggestopt met de bedoeling er ooit mee voor de dag te komen, maar daar komt nooit een goed moment voor. Hoe vertel je zoiets? Dat werd steeds moeilijker en moeilijker. Jij kreeg je eigen leven. Je trouwde, kreeg kinderen, startte een bedrijf. Moesten we je echt opzadelen met de wetenschap dat je ook nog ergens een moeder had? Een moeder die geprobeerd had zichzelf van het leven te beroven, ondanks de piepkleine kinderen die ze had? We dachten niet dat we je daar een dienst mee zouden bewijzen. We waren je adoptieouders en we dachten dat je bloedbanden niet meer zo belangrijk waren.'

'Ik begrijp het wel,' kwam Chantal onverwachts. 'Mij is altijd verteld dat mijn moeder zelfmoord gepleegd had en dat is een heel zware last om te dragen, zeker als kind zijnde. Ik ben opgegroeid in de wetenschap dat zelfs mijn eigen moeder niet genoeg van me hield om voor me te zorgen. Wees maar blij dat jij die last niet had, Pen.'

'Misschien was het makkelijker geweest als wij die last samen hadden kunnen dragen,' zei Penny daarop. 'Want dat is nog steeds niet duidelijk geworden. Waarom zijn wij uit elkaar gehaald?'

'Er was vrijwel niemand die in aanmerking kwam om voor jullie te zorgen,' zei Wim. 'Lidewij had geen familie, alleen haar nicht Alida. Zij en wij waren de enigen die zich om haar bekommerden. Maar we hadden allemaal al twee jonge kinderen, een tweeling erbij was voor beide gezinnen te veel. Het alternatief was dat jullie in een tehuis terecht zouden komen en dat wilden we ook niet, vandaar dat we voor deze oplossing kozen. Het belangrijkste was op dat moment dat jullie goed en liefdevol verzorgd zouden worden, ook al was het los van elkaar. We woonden toen bij elkaar in de buurt, dus de bedoeling was dat jullie elkaar vaak zouden zien en zo min of meer ook samen zouden opgroeien. Door omstandigheden liep dat anders.'

'Welke omstandigheden?' wilde Penny weten.

'Het contact verwaterde nadat de familie Peereboom verhuisde. Kort daarop zijn ze zelfs naar Canada geemigreerd, dat is het laatste wat wij gehoord hebben.' Wim wendde zicht tot Chantal. 'Hebben jullie daar lang gewoond?'

'Nee,' antwoordde ze. 'Ik kan me er zelfs niets van herinneren. Dat hele avontuur heeft nog geen jaar geduurd, toen zijn we weer naar Nederland gekomen. We hebben altijd in het oosten van het land gewoond en op mijn vijftiende zijn we hierheen verhuisd.'

'Dat we elkaar in al die jaren niet zijn tegengekomen,' verbaasde Ankie zich. 'Hoe is het nu met je ouders?'

'Mijn vader is dood, mijn moeder dement. Zij woont in een zorgcentrum,' vertelde Chantal summier. 'Penny en ik zijn bij toeval met elkaar in contact gekomen. We kenden elkaar al een tijdje voor we eergisteren ontdekten dat we zussen moesten zijn. Mijn ouders hebben daar ook nooit iets over gezegd.'

'Dat was de afspraak tussen ons,' zei Wim eerlijk. 'Ze zijn nog afscheid komen nemen toen ze naar Canada gingen en die avond hebben we afgesproken jullie allebei als eenling op te laten groeien.'

'Waarom in vredesnaam?' vroeg Penny. 'Wat had dat voor nut? Wat hadden jullie daarmee voor?'

'Nogmaals, jullie belang,' antwoordde Ankie. 'We hebben nooit zeker geweten of we de goede of de verkeerde beslissing namen, maar we dachten destijds dat het voor jullie makkelijker was om niets te weten van jullie afkomst. Maar dan ook echt niets. Het ene verhaal vertellen, betekent dat je de rest niet kunt verzwijgen. Niets weten leek ons het beste. Nu wisten jullie allebei niet wat jullie misten.'

'Maar wel dát ik wat miste,' ging Penny daartegenin. 'Dat heb ik altijd gevoeld.'

'Werkelijk?' Ankie was oprecht verbaasd door deze opmerking. 'Dat heb je nooit gezegd.'

'Er werd nergens over gesproken. Vragen van mijn kant ketsten af op een muur van onwilligheid. Op die manier leerde ik vanzelf af om erover te praten.'

'Dat spijt me. Het is nooit onze bedoeling geweest jou het gevoel te geven dat we iets verborgen hielden.'

'Had je het me verteld als ik open was geweest over mijn gevoelens van gemis?' vroeg Penny rechtstreeks.

'Dat weet ik niet,' zei Ankie peinzend. 'Achteraf is dat niet te beoordelen. Waarschijnlijk niet. Wij waren er erg op gebrand om jou te behoeden voor de gruwelijke waarheid wat betreft je biologische ouders. Victoria en Lucas weten het ook niet. Ze kenden Lidewij wel omdat ze naast ons woonde, maar we hebben hen verre gehouden van haar problemen.'

'Ik ben blij dat de hele waarheid nu op tafel ligt,' bekende Wim. 'Het was een moeilijke periode en we hebben gedaan wat ons het beste leek, maar het heeft wel altijd op ons gedrukt. Er was voortdurend een gevoel van onbehagen naar jou toe, omdat we niet eerlijk waren. Het is niet makkelijk als je niet echt onbevangen tegenover je eigen kind kunt staan, want zo hebben we je wel van het begin af aan beschouwd. Ons kind.'

'Toch voelde ik een afstand,' zei Penny. 'Ik begrijp nu waar dat door kwam.'

'Dat had ik ook,' knikte Chantal. 'Moeilijk onder woorden te brengen, maar wel aanwezig. Het gevoel dat er iets niet klopte, dat ik er niet echt bij hoorde, hoewel dat zeker niet aan mijn ouders lag. Die hielden echt van me.'

'Dit alles bij elkaar gevoegd, hebben we het waarschijnlijk verkeerd aangepakt,' zei Ankie na een korte stilte. 'Wellicht was het beter geweest als we wel van het begin af aan de hele waarheid hadden verteld.'

'Dat zullen we nooit zeker weten,' dacht Penny hardop. 'Misschien waren we dan wel zwaar getraumatiseerd geweest. Niemand kan zeggen hoe het gelopen zou zijn als jullie de zaken anders hadden aangepakt.'

Ankie pakte Penny's handen vast. 'Ik kan alleen maar hopen dat je ons niets kwalijk neemt,' zei ze ernstig. 'Bij alles wat we deden hadden we jouw bestwil voor ogen, maar dat was gebaseerd op wat we toen wisten. Al onze beslissingen zijn in ieder geval genomen uit liefde, ik hoop dat je dat beseft.'

'Ik vind het wel moeilijk,' zei Penny eerlijk. 'Chantal is een deel van me, ik was graag samen met haar opgegroeid. Aan de andere kant valt er ook veel te zeggen voor jullie redeneringen. Ik begrijp nu overigens wel een heleboel. De afstandelijkheid tussen ons, het voortdurende gevoel dat ik iets miste in mijn leven en waardoor ik me vol op mijn werk stortte, noem maar op. Het verleden, zelfs als je daar het fijne niet vanaf weet, heeft toch invloed, dat blijkt nu wel weer.'

'Ik ben er anders nog steeds niet achter waar mijn huidige problemen vandaan komen,' zei Chantal enigszins wrang. 'Ik vrees dat die niets te maken hebben met het verleden, maar dat ze gewoon veroorzaakt zijn door mijn eigen stommiteit.'

Penny keerde zich naar haar toe.

'Lieve schat, begrijp jij werkelijk niet waarom jij je niet met volle overtuiging aan Guido kunt binden? Je bent opgegroeid in de wetenschap dat je eigen moeder liever zelfmoord pleegde dan dat ze voor jou wilde zorgen. Natuurlijk durf jij je lot niet zomaar in andermans handen te leggen. Als zelfs de beroemde moederkindrelatie niet alles overstijgt, welke relatie dan wel?

Ik vind het niet vreemd dat je angstig bent en het benauwd krijgt.'

Chantal staarde haar verbijsterd aan.

'Is het werkelijk zo simpel, denk je? Die link heb ik nooit gelegd.'

'Voor een buitenstaander is het vaak makkelijker te beoordelen. Jij zit er middenin, ik kijk ertegenaan.'

'Mogen wij ook weten wat er aan de hand is?' vroeg Ankie. Ze luisterde aandachtig naar het verhaal dat Penny uit de doeken deed en knikte toen bevestigend. 'Penny zou weleens gelijk kunnen hebben. Geadopteerde kinderen hebben sowieso meer moeite om zich te binden, heb ik laatst gelezen.'

'Jammer dat ik niets meer aan deze wetenschap heb. Voor mij en Guido is het te laat,' zei Chantal moedeloos. 'En geadopteerd of niet, dat heb ik echt aan mezelf te wijten. Enfin, daar hadden we het nu niet over. Ik wil graag meer weten over Lidewij en ook over Jan. Kenden jullie hem goed?' vroeg ze aan Wim en Ankie.

'We hebben hem slechts een paar keer vluchtig gezien,' antwoordde Wim. 'Hij had natuurlijk redenen genoeg om zich niet open op te stellen naar Lidewijs vrienden. Uiterlijk hebben jullie niets van hem weg, jullie lijken echt op je moeder. Willen jullie foto's van haar zien?' Dat laatste vroeg hij aarzelend, maar Penny en Chantal gingen daar gretig op in.

Even later keken ze zwijgend naar de afbeelding van hun moeder. Een jonge vrouw met een glimlach om haar lippen, maar met een sombere blik in haar ogen. Ze voelden beiden een brok in hun keel bij de wetenschap dat deze jonge vrouw het zo zwaar had gehad. Het verhaal van hun afkomst was zeker niet vrolijk, toch waren ze blij dat ze nu alles wisten. De waarheid voelde niet aan als een last, eerder als een bevrijding.

HOOFDSTUK 19

Het werd een vreemde middag, waarin door Wim en Ankie herinneringen werden opgehaald die beurtelings een lach of een traan tevoorschijn brachten. Niet alleen bij hen, ook bij Penny en Chantal. Vreemd genoeg voelde Penny zich voor het eerst echt verbonden met haar adoptieouders. Ze begreep dat het geheim van haar afkomst zwaar op hen had gedrukt. Misschien hadden ze verkeerde beslissingen genomen, misschien ook niet. Ze vroeg zich af of ze een gelukkiger kind en jongvolwassene zou zijn geweest als ze de hele waarheid had geweten. Waarschijnlijk niet.

Bij het afscheid aan het eind van de middag pakte Ankie Penny stevig vast.

'Ik hoop niet dat we je hierdoor kwijtraken,' zei ze ernstig. 'Voor ons ben je altijd onze dochter geweest, vanaf het moment dat we je in huis namen. Je was toen net twee weken oud.'

Penny glimlachte en omhelsde haar moeder. 'Dat weet ik. En je hoeft zeker niet bang te zijn, ik heb juist het gevoel dat de afstand kleiner is geworden. Al die tijd heb ik geweten dat er iets was, dat bedreigende gevoel is nu weg. Ik weet nu de waarheid over mijn leven en ik heb mijn zus gevonden. Dat alles is een aanvulling, geen vervanging. Jullie zijn en blijven mijn ouders.'

Penny bracht Chantal terug naar huis, maar weigerde haar uitnodiging om nog iets te komen drinken. Ze wilde naar huis, naar haar gezin. Haar kinderen omhelzen en op schoot nemen. Tegen Huug aan kruipen. Ze had heel wat goed te maken, besefte ze berouwvol. Die wetenschap droeg ze al een tijdje met zich mee, maar de volle omvang drong nu pas echt tot haar door. In haar pogingen het gat in haar hart te vullen, was ze voorbijgegaan aan de echt belangrijke zaken in het leven. Ze was maar doorgegaan en doorgegaan, hopend genoeg bevrediging in een druk leven te vinden om die leegte niet te voelen. Dat was overigens nooit gelukt. Pas nu alle stukjes op hun plaats waren gevallen en het gat was gedicht, zag ze wat er fout was gegaan. Alsof haar tegelijkertijd de schellen van de ogen waren gevallen. Voor het eerst kon ze zich echt openstellen voor andere mensen. De vreemde terughoudendheid die ze al vanaf haar prilste jeugd met zich meedroeg, was weg.

Het werd al donker toen ze haar straat in reed. Het licht achter de ramen van hun huiskamer straalde haar warm tegemoet. In de voortuin bleef Penny even staan, als een gluurder naar binnen kijkend. Huug zat op de bank, met Sarah op schoot. Hij kietelde haar buikje en Penny hoorde haar buiten schateren van het lachen. Julian zat op de grond te spelen met zijn trein, Tessa lag languit naast hem aandachtig toe te kijken, met haar hoofd in haar handen. Een gewoon, huiselijk tafereeltje dat de tranen in Penny's ogen deed schieten. Er was niets gewoons aan, besefte ze. Dit was een wonder. Drie gezonde kinderen en een man die van haar hield. Die zo veel van haar hield dat hij haar alle vrijheid had gegeven om zichzelf te vinden. En zij was daar achteloos aan voorbijgegaan, met als enige excuus dat ze een leegte voelde. Waarom had ze nooit geprobeerd die leegte op te vullen met haar gezin, in plaats van met werk? Werk waarvan ze de laatste tijd steeds meer een afkeer had gekregen. Het was zo nutteloos.

Plotseling voelde Penny een sterke behoefte om deel uit te maken van deze warmte en gezelligheid. Ze haastte zich naar binnen.

'Mama!' Julian sprong overeind en omklemde haar benen. 'Ben je klaar met werken?'

Penny tilde hem op, zodat zijn gezicht vlak bij het

hare was. 'Vandaag was mama niet werken, jochie. En voortaan gaat mama veel minder werken.'

Hij klemde zijn armen om haar hals en drukte een kus op haar wang.

'Doe geen beloften die je niet kunt waarmaken,' zei Huug zacht toen ze naast hem ging zitten.

'Maar ik meen het.' Ze glimlachte naar hem. 'Ik weet dat ik vaker zoiets gezegd heb om jullie vervolgens teleur te stellen, maar dit keer is alles anders. Ik ben anders.'

Hij keek haar aandachtig aan. Er lag een zachte trek op haar gezicht die er eerder niet was geweest. Zo wilde hij haar tekenen, bedacht hij. Dan zou het een heel andere tekening worden dan hij laatst had gemaakt.

'Wat is er gebeurd?' wilde hij weten. 'Hebben je ouders de waarheid verteld?'

'Straks,' antwoordde Penny met een veelbetekenende blik naar haar kinderen. 'Het is een nogal heftig verhaal.'

Ze trok Sarah op schoot en koesterde het warme kinderlijfje. Wat werd ze al groot, dacht ze schuldbewust. De kleine baby uit de couveuse destijds was uitgegroeid tot een dreumes met bolle wangen, stevige ledematen en een brede lach. Een ontwikkeling die zij grotendeels had gemist.

Huug bestelde pizza's, waar vooral Tessa en Julian dol op waren, daarna brachten ze gezamenlijk de kinderen naar bed. Het werd een lang ritueel die avond. De kinderen merkten heel goed de stemming van hun moeder op en maakten daar handig gebruik van door haar nog een verhaaltje te laten vertellen en nog een keer kiekeboe te spelen onder het dekbed.

'Nu is het genoeg.' Het was Huug die er een eind aan maakte. 'Slapen jullie. Nee, ik wil niets meer horen. Welterusten.'

Met de armen om elkaar heen geslagen liepen ze de

trap af naar beneden, iets wat heel onhandig bleek te zijn, zodat ze slap van het lachen op de begane grond aankwamen.

'Ik hou van je,' zei Huug innig. 'Wat was dit leuk, zo samen. Dat zouden we iedere dag moeten doen.'

'Iedere dag is waarschijnlijk een beetje te veel van het goede, dan krijgen onze kinderen een ernstig slaaptekort,' lachte Penny. 'Het is inmiddels al negen uur. Maar voortaan ben ik er 's avonds wel bij, Huug, dat beloof ik. Ik ga ander werk zoeken. Iets met normale tijden.'

'Vertel eerst eens wat er vanmiddag allemaal gezegd is,' verzocht Huug. Hij nam haar mee naar de kamer en trok haar op de bank dicht tegen zich aan.

Zonder iets over te slaan, vertelde Penny hem het trieste verhaal van haar biologische moeder en de reden waarom zij en Chantal destijds van elkaar gescheiden waren.

'Er is me heel veel duidelijk geworden,' besloot ze uiteindelijk. 'Alles is inderdaad terug te voeren op het verleden, al was ik me toen nog nergens van bewust. Het heeft toch invloed gehad. Vandaag voelde ik ook voor het eerst dat mijn ouders echt mijn ouders zijn. Klinkt dat vreemd?'

'Nee,' zei Huug bedachtzaam. 'Die kloof is weg nu alles op tafel ligt. Je hebt altijd geweten dat ze niet helemaal eerlijk tegenover je stonden, en zoiets ondermijnt iedere relatie.'

'Het is voor hen ook niet makkelijk geweest,' peinsde Penny. 'Ze waren bang dat ik hun iets kwalijk nam, maar dat is niet zo. Ik begrijp waarom ze zo gehandeld hebben. Ik zou Julian, Tessa en Sarah ook willen beschermen in een dergelijk geval. Kinderen zijn kwetsbaar, al kunnen ze vaak meer hebben dan je denkt. Je moet daar zo voorzichtig mee zijn.'

'En nu?' wilde Huug weten. 'Heeft deze wetenschap je werkelijk veranderd? Je had het net over ander werk.

Komt dat allemaal door de waarheid over je afkomst?'

'Voor een groot gedeelte wel. De laatste tijd was ik me er steeds meer van bewust dat ik verkeerd bezig was. Dat weet je. We hebben er vaker over gepraat, maar in de praktijk kwam er weinig van terecht. Dit alles heeft me het laatste duwtje gegeven. Ik weet nu wat echt belangrijk is in het leven. Ik moet er niet aan denken om fulltimehuismoeder te zijn, dat zit nu eenmaal niet in me, maar tussen fulltimemoederen en nooit aanwezig zijn zit een heel groot verschil. Ik heb jullie tekortgedaan doordat ik probeerde mijn eigen gevoelens weg te stoppen, hopelijk kan ik dat in de toekomst goedmaken.'

'Je reclamebureau is een deel van jezelf,' meende Huug. 'Dat zet je niet zomaar opzij. Dat hoeft ook niet, als er maar meer balans in je leven komt.'

Penny schudde haar hoofd.

'Dat bedrijf is helemaal niet belangrijk, het was een middel om niet te hoeven nadenken. Nu ik dat niet meer nodig heb, besef ik pas hoe nutteloos dergelijk werk is. Het gaf me een kick om grote opdrachtgevers binnen te slepen, maar echte voldoening heb ik er nooit uit gehaald. Dat zit in heel andere dingen.'

'Wat ga je dan doen?'

'Dat weet ik nog niet precies. In enkele dagen tijd is mijn leven zo overhoopgegooid, ik heb nog amper de tijd gehad om na te denken. Ik weet alleen dat er iets moet veranderen.'

Huug zei hier niets op terug. Hij had dergelijke uitspraken vaker gehoord en iedere keer had hij gedesillusioneerd moeten constateren dat het bij woorden bleef die niet opgevolgd werden door daden. Daar was hij nu weer bang voor. Penny had de laatste dagen schok op schok te verwerken gekregen, het was niet vreemd dat ze op dat moment door de bomen het bos niet meer zag. De kans was echter groot dat ze op de oude voet door bleef gaan als alles bezonken was. Hij durfde in ieder geval nergens op te hopen.

Penny was daarentegen volkomen zeker van haar zaak. Ze liep hier al maanden mee rond, het was geen kwestie van overhaast een beslissing nemen in de roes van de gebeurtenissen. Meteen de volgende dag stapte ze naar Romano om hem te vertellen dat ze ermee wilde stoppen. Het uitspreken van die woorden alleen al gaf haar een onbeschrijflijk vrij gevoel, waardoor ze honderd procent zeker wist dat ze hier goed aan deed. Wat het leven haar verder zou brengen wist ze nog niet, maar daar maakte ze zich op dat moment ook geen zorgen om. Haar aandeel in het bedrijf gaf voldoende financiële armslag om het een tijdje rustig aan te doen en te zoeken naar iets waar haar hart lag.

Plichtmatig werkte ze de lopende zaken zo goed mogelijk af, maar ze zorgde ervoor dat ze 's avonds op tijd thuis was om met haar gezin te eten. Momenten waar ze tegenwoordig van genoot.

Zonder enige spijt nam ze enkele weken later afscheid van het reclamebureau waar ze zo veel uren had doorgebracht. Het was goed zo. Het leven duwde haar een andere richting uit en daar voelde ze zich prima bij. Veel beter dan lange tijd het geval was geweest.

Chantal miste Guido meer dan ze wilde bekennen. Vergeleken bij het verdriet dat ze nu voelde, leek een huwelijk met hem ineens niet meer zo'n afschrikwekkend idee. Het was zo goed geweest tussen hen. Ze hadden elkaar aangevuld, compleet gemaakt. Guido was de enige man geweest bij wie ze zichzelf had kunnen zijn. Op dat ene detail na dan. Ondanks haar verdriet en het gemis vanwege de lelijke afloop van iets wat zo mooi was geweest, wist Chantal toch dat dit beter was dan een huwelijk waar ze niet volledig achter stond. Als dat incident met Andreas er niet was geweest en ze 'ja' tegen Guido had gezegd, was het op een gegeven moment ook fout gelopen, wist ze. Een dergelijke belofte paste niet bij haar. Ze wilde niet getrouwd zijn, ze wilde niet samenwonen. Het was niets voor haar om een man, zelfs Guido niet, vierentwintig uur per dag om zich heen te hebben, daar kreeg ze het benauwd van. Dat had niet alleen te maken met haar afkomst en het feit dat haar moeder blijkbaar niet genoeg van haar had gehouden om voor te blijven leven, had ze ontdekt. Het zat ook gewoon in haar aard. Niet dat ze per se vrij wilde zijn, maar ze had ruimte nodig voor zichzelf. Ze wilde niet als vanzelfsprekend 's avonds naast een man op de bank zitten omdat ze nu eenmaal in één huis woonden. Ze wilde kiezen voor momenten samen en er dan ook volop van genieten. Misschien dat dit ooit nog zou veranderen in de toekomst, dat wist niemand, maar nu dacht ze er zo over. Als Guido dat niet kon accepteren, was het beter dat ze uit elkaar waren.

Dat hield ze zichzelf manmoedig voor op momenten dat het verdriet om hem haar dreigde te overspoelen. Hij was plotseling in haar leven verschenen en er net zo snel weer uit verdwenen. Het voelde zo onaf. Het einde van hun relatie was zo chaotisch geweest en zo verwarrend. Daarnaast miste ze ook het gevoel bij zijn familie te horen, al had ze inmiddels wel door dat dit geen hoofdreden mocht zijn om een relatie in stand te houden. Ze had nog een paar keer telefonisch contact met Gerdien gehad, toch was dat anders dan toen ze nog samen met Guido was. Ondanks alles was Gerdien nog steeds even lief en hartelijk tegen haar, maar nu waren ze verworden tot twee vrouwen die elkaar graag mochten, in plaats van schoonmoeder en schoondochter. Het maakte voor Chantals gevoel een wezenlijk verschil.

Dat Penny nu zo'n grote plaats in haar leven innam, maakte veel goed, maar niet alles. De blijdschap omdat ze haar gevonden had, stond naast het verdriet om Guido, het hief elkaar niet op. Zonder hem was haar leven leeg en troosteloos, ondanks al het goede dat ze ook had.

Het ergste was dat dit haar eigen schuld was. Ze had het zelf veroorzaakt door niet meteen eerlijk te zijn en voor haar gevoelens uit te komen. Kon ze de tijd maar terugdraaien, dan zou ze het heel anders aanpakken. Maar dat was nu eenmaal niet mogelijk. Ze moest door, hoe moeilijk ook. Dus ging ze iedere dag plichtsgetrouw naar haar werk, hield ze haar huisje bij, ging ze regelmatig naar Penny toe en bezocht ze trouw haar moeder in het zorgcentrum, maar haar hart was nergens meer echt bij betrokken. Ze voelde zich moe en afgestompt en verwachtte niets meer van het leven.

Haar verbijstering was dan ook groot toen op een avond de bel ging en Guido voor de deur bleek te staan.

'Mag ik binnenkomen?' vroeg hij deemoedig. Deze houding was zo'n verschil met het laatste beeld dat ze van hem had, dat Chantal zich in de ogen moest wrijven om te beseffen dat het echt waar was en geen fantasiebeeld.

'Wat kom je doen?' wilde ze weten.

'Praten. Als jij dat tenminste nog wilt,' antwoordde hij. 'Het spijt me dat ik als een dolle stier tekeerging, Chantal.'

Ze deed een stap opzij en liet hem binnen. Haar hart sprong even hoopvol op, tegelijkertijd besefte ze dat zijn excuses niets oplosten. In hun situatie was niets veranderd. Zij wilde nog steeds niet trouwen, Guido wel. Ze was inmiddels verstandig genoeg om zich niet weer te laten overhalen tot iets waar ze niet achter stond. Dat zou op den duur nog meer ellende veroorzaken.

'Mag ik gaan zitten?' vroeg hij in de kamer.

'Doe alsjeblieft niet zo plechtig, alsof je een wildvreemde bent die een enquête af komt nemen of zo,' verzocht Chantal. 'Gedraag je normaal. En je hoeft helemaal geen excuses aan te bieden. Ik zat fout, niet jij.'

Hun ogen vonden elkaar en als vanouds sprongen de vonken tussen hen over. Chantal hield haar adem in, maar ze had zichzelf direct weer in de hand. Ze durfde niet te veel te verwachten van zijn onverwachte komst, al kon ze niet verhinderen dat haar hart een vreugdesprongetje maakte.

'Ik had op zijn minst naar je moeten luisteren,' zei Guido. 'Niet alleen die bewuste ochtend, lang daarvoor al. Luisteren naar hoe je echt bent. Ik hoorde alleen wat ik wilde horen en daar baseerde ik mijn aanzoek op, zonder acht te slaan op dat stemmetje in mijn hart dat me vertelde dat ik verkeerd bezig was.'

'Je hebt met je moeder gepraat,' veronderstelde Chantal.

Hij knikte. 'Ook, maar dat is niet de reden waarom ik hier ben. Het gesprek met haar deed me zelfs nog meer mijn kop in de wind gooien. Daarna ben ik pas gaan nadenken. Alles wat tussen ons scheef is gelopen, is terug te voeren op mijn aanzoek. Ik heb je in een hoek geduwd waar je niet wilde zitten.'

'Waar ik niet had hoeven zitten. Dat liet ik zelf gebeuren,' verbeterde Chantal hem.

'Ik begrijp waarom. Ik begrijp alles, inmiddels. Het spijt me, Chantal. Ik had je nooit moeten vragen met me te trouwen.'

'Ik had geen ja moeten zeggen.'

Guido stond op en liep naar haar toe. Vlak voor haar bleef hij staan. Zijn gezicht was zo dichtbij dat ze de lichte vlekjes in zijn ogen kon zien.

'Blijven we roepen dat we verkeerd bezig zijn geweest of gaan we het gewoon goedmaken en elkaar zoenen?' vroeg hij geamuseerd.

Chantals mond brak open tot een brede lach.

'Zoenen,' antwoordde ze zonder omwegen terwijl ze haar handen om zijn hals sloeg.

'Daar hoopte ik al op,' kon hij nog net mompelen voor hun lippen elkaar raakten.

Het werd een lange, intense, heftige zoen waarin al het geluk dat ze elkaar teruggevonden hadden, lag besloten.

'Ik heb je zo enorm gemist,' zei Guido daarna gesmoord in haar hals. 'Het leven is niet leuk zonder jou, getrouwd of niet. Al wil je de rest van ons leven apart blijven wonen, dat maakt me niet uit. Ik wil je nooit meer kwijt. Die eerste avond wist ik al dat jij de vrouw voor me bent. Zoiets voel je, daar komt geen greintje verstand bij kijken.'

'Ik voelde hetzelfde,' gaf Chantal toe. 'Weet je, ieder ander die me gevraagd zou hebben, zou ik hebben geweigerd, ongeacht de tientallen mensen die erbij stonden en die op een antwoord wachtten. Jou wilde ik echter niet voor schut zetten ten overstaan van iedereen.'

'Toch had ik in dit geval liever een nee gehoord. Beloof me dat je voortaan eerlijk bent, al staat de hele wereld erbij. Ik wil dat jij gelukkig bent. Overigens geef ik direct toe dat een huwelijksaanzoek met tientallen getuigen erbij niet echt romantisch is. Achteraf bezien had ik het anders aan moeten pakken. Ik had je moeten vragen terwijl we met zijn tweeën waren, dan was ons een hoop ellende bespaard gebleven.'

'Dat kan alsnog,' waagde Chantal met pretlichtjes in haar ogen. 'Vraag het me maar.'

Hij begreep direct haar bedoeling. Net als op de avond van haar verjaardag zakte hij op één knie terwijl hij allebei haar handen vasthield.

'Lieve Chantal, wil je met me trouwen?'

Vanuit haar staande positie keek Chantal op hem neer.

'Ik hou van je, maar nee, liever niet,' was haar antwoord.

Guido kwam overeind en nam haar opnieuw in zijn armen.

'Mooi,' zei hij tevreden.

Toen schoten ze samen in de lach.

'Dit slaat natuurlijk helemaal nergens op,' gierde Chantal. 'Een vreemde die ons nu zou zien, zou ons terecht voor gek verklaren.'

'Als wij maar weten hoe het zit, de rest kan me niet schelen,' zei Guido.

'Dit zou een geweldig verhaal zijn om later aan onze kinderen te vertellen, als ik die zou willen krijgen,' ontdekte Chantal.

'We hebben neefjes en nichtjes, dus dat verhaal kunnen we echt wel een keer aan iemand kwijt,' meende Guido. 'Wat ga je doen? Je wilt toch niet onmiddellijk naar Julian bellen om dit met hem te delen?' informeerde hij toen hij zag dat ze haar telefoon pakte.

'Nee, ik ga iemand heel blij maken,' antwoordde Chantal met haar telefoon tegen haar oor. 'Gerdien? Hoi, met mij. Raad eens. Guido en ik gaan niet trouwen!'

Met zijn hoofd achterover schaterde Guido het uit. Dit was Chantal ten voeten uit. Zijn Chantal. Al was het dan niet officieel, zo voelde het in ieder geval wel.

SLOT

'Hoelang is het nog rijden?' vroeg Chantal.

'Ruim drie kwartier,' antwoordde Penny met een blik op haar navigatie.

Chantal zuchtte en zakte iets verder onderuit op de passagiersstoel.

'Toch wel makkelijk, een auto. Zo ver heb ik het nooit geschopt. Ik doe alles op de fiets of met het openbaar vervoer.'

'Dat heeft ook zijn voordelen, al moet ik zeggen dat ik mijn auto niet graag kwijt zou willen,' zei Penny afwezig, terwijl ze van baan wisselde om een tergend langzaam rijdend busje te kunnen inhalen.

'Kunnen jullie je nog wel een tweede auto veroorloven nu je niet meer werkt?' informeerde Chantal bezorgd.

Ondanks dat ze al haar concentratie bij het verkeer hield, schoot Penny in de lach.

'Lieve schat, we zijn echt niet ineens armlastig geworden, hoor. Integendeel zelfs, Romano heeft een nieuwe partner gevonden voor het reclamebureau en ik ben ruimschoots uitgekocht. De jaren van hard werken hebben op dat gebied hun vruchten wel nagelaten. Maak je om ons dus vooral geen zorgen. Trouwens, over twee weken begin ik in mijn nieuwe baan, dus lang hoeven we niet op ons spaargeld te teren.'

'Maar verdient je nieuwe werk wel wat?' vroeg Chantal verder. 'Ik bedoel, directeur van een reclamebureau of pr-medewerker bij een goededoeleninstantie. Dat is nogal een verschil.'

'Het is genoeg om ruim van rond te kunnen komen met ons gezin,' stelde Penny haar gerust. 'Dat klinkt tegenstrijdig voor een organisatie die voornamelijk kan bestaan door giften, maar het is natuurlijk wel de bedoeling dat ik mijn eigen salaris plus wat extra binnenhaal bij de grote bedrijven en andere donateurs. Mijn ervaring in de reclamebranche komt me daarbij goed van pas. Ik barst nu al van de ideeën om het geld binnen te laten stromen. Ze doen daar echt goed werk en ik ben blij dat ik daar straks deel van uit mag gaan maken. Dit werk geeft ongetwijfeld veel meer bevrediging dan het verzinnen van reclames, al blijft het doel uiteindelijk hetzelfde.' Ze grijnsde breed. 'Geld uit de zakken van de mensen kloppen. Een uitdaging in deze tijd van crisis en bezuinigingen.'

'Ze hebben vast een heel goede medewerker aan jou, je bent zo gedreven,' zei Chantal hartelijk. 'Geen spijt dus van je overstap?'

'Nog geen seconde. Er is zo'n rust in huis gekomen nu ik een stuk minder gejaagd ben. Huug heeft het trouwens ook naar zijn zin in zijn rol als huisman. Als Sarah straks ook naar school gaat, wil hij wel weer iets buiten de deur gaan doen, maar dit bevalt hem voorlopig uitstekend.'

'Natuurlijk. Lekker koffiedrinken bij de buurvrouw en roddelpraatjes houden in de supermarkt,' grinnikte Chantal. 'Hoelang is het nog rijden?'

'Iets korter dan de vorige keer dat je het vroeg.' Penny waagde even een snelle blik opzij. 'Zenuwachtig?'

'Bloednerveus,' gaf Chantal toe. 'Jij niet?'

'Ik zie er wel tegen op, ja,' bekende Penny. 'Ik wil er liever nog niet aan denken wat ons te wachten staat daar.'

'Jij hebt afleiding aan het verkeer. Zal ik een stukje rijden?' stelde Chantal voor.

Penny gaf geen antwoord, ze tikte alleen even tegen haar voorhoofd.

'Hoe gaat het met Guido?' veranderde ze van onderwerp.

Chantal begon te stralen.

'Helemaal perfect. We zijn zo enorm gelukkig samen nu alles opgehelderd is. Met Andreas is het ook uitgepraat, dus geen vuiltje aan de lucht.'

'Mooi. En de bruiloft is voorgoed van de baan?'

'Zeg nooit nooit, maar voorlopig zit het er niet in. Zoals het nu gaat, bevalt het me veel te goed, ik zie geen enkele reden om daar verandering in aan te brengen. We zien vanzelf wel wat de toekomst brengt.'

'We zijn allebei wel een stuk gelukkiger geworden sinds we elkaar hebben,' peinsde Penny. 'Alles is mooi samengekomen en op zijn plaats gevallen.'

'Nu het laatste stukje nog,' zei Chantal.

Ze verviel in gepeins terwijl Penny hen naar hun plaats van bestemming bracht.

Eindelijk stopte de auto voor een groot, licht gebouw met een goed onderhouden, grote tuin eromheen. Een zwart smeedijzeren hek met gevaarlijk uitziende punten omringde het terrein.

'We zijn er,' verkondigde Penny overbodig. Ze parkeerde haar wagen een stukje verderop. In plaats van uit te stappen keek Chantal door de voorruit naar het gebouw.

'Zullen we?' vroeg Penny. 'Of durf je niet meer? We kunnen nu nog terug.'

'Nee, laten we maar gaan.'

Ze stapten uit en liepen naar het hek, waar ze via een intercom hun komst aankondigden. Eenmaal binnen werden ze opgevangen door een vriendelijke vrouw in een verpleegstersuniform.

'Ik ben Ida, ik heb u aan de telefoon gehad,' zei ze, hun handen schuddend. 'We hebben jullie moeder verteld van jullie komst, maar verwacht niet dat ze jullie kent.'

'Is ze wel aanspreekbaar?' vroeg Chantal aarzelend.

'Ze kan praten, maar slecht verstaanbaar en onsamenhangend,' vertelde Ida. 'Een normaal gesprek is niet met haar te voeren, maar dat wisten jullie al. Deze gang in. Jullie moeder zit overdag meestal in de gemeenschappelijke huiskamer.' Ze ging hun voor door een lange gang, die uitkwam in een ruime, lichte serre.

De ruimte was ingericht met enkele grote tafels, een paar gezellige zitjes en veel planten. Ida liep rechtstreeks naar een vrouw die in een rolstoel in haar eentje aan een grote tafel zat.

Chantal en Penny keken elkaar geschrokken aan. Deze vrouw vormde een enorme tegenstelling met de vrouw die ze op de foto's hadden gezien. Ze wisten dat ze achtenvijftig was, maar Lidewij zag er veel ouder uit. Haar haren waren grijs en hingen slordig langs het smalle gezicht. Haar blauwe ogen, dezelfde als van hen, staarden dof voor zich uit. Langs haar open mond liep een straaltje kwijl, dat Ida liefdevol en geroutineerd wegveegde.

Penny slikte moeizaam. Was dit hun biologische moeder, de vrouw die hen op de wereld had gezet? Het was een harde confrontatie voor haar. Ankie was tien jaar ouder, maar nog heel energiek en vitaal. Voor Chantal, gewend aan een moeder met dementie, kwam de klap minder hard aan. Ze liep naar Lidewij toe en pakte haar hand vast.

'Wij zijn het, Penny en Chantal,' zei ze lief. 'Weet je wie we zijn?'

Lidewij mompelde iets wat ze niet konden verstaan. De blik in haar ogen veranderde niet, ze bleef stug naar het tafelblad staren.

'Ga maar bij haar zitten. Ik zal koffie voor jullie halen,' bood Ida aan.

Ongemakkelijk schoof Penny aan de tafel. Ze kon haar ogen niet van Lidewij afhouden. Dit was dus de vrouw die hen gebaard had. De vrouw wier leven zo dramatisch was verlopen en die het niet op had kunnen brengen om er te zijn voor haar kinderen. Alle verwijten die ze haar daar in gedachten over had gemaakt, vielen weg nu ze tegenover haar zat. Het enige gevoel dat nu in haar opkwam, was medelijden.

'Ken je ons?' vroeg ze zacht.

Er kwam geen antwoord. Met haar rechterhand tikte Lidewij op de leuning van haar rolstoel, de linkerarm hing slap naar beneden. Verlamd, begreep Penny. De zelfmoordpoging had het destijds nog jonge lichaam volledig verwoest. Lidewij leefde sindsdien als een kasplantje voort, niet in staat om zelf iets te doen of zelfstandig een beslissing te nemen. Dit had ze ongetwijfeld niet gewild, maar ze kon niet aan haar lot ontkomen. Zelfs een nieuwe poging om haar leven te beëindigen was niet mogelijk. Zowel haar lichaam als haar geest waren daar niet toe in staat.

Het werd geen lang bezoek. Chantal praatte tegen Lidewij, maar ze betwijfelde of de vrouw überhaupt in de gaten had dat ze bezoek had. Desondanks vertelde ze haar over de jeugd die ze had gehad en deed ze het verhaal over de hereniging van Penny en haar uit de doeken.

'We zijn dus allebei goed terechtgekomen,' zei ze. 'Vind je dat niet fijn?'

'Ze begrijpt je niet,' zei Penny. 'Dit heeft geen nut, Chantal.'

'Je weet nooit wat ervan doordringt,' weerlegde Chantal dat. 'Wellicht blijft er toch iets van hangen. Het kan in ieder geval geen kwaad.'

Daar kon Penny niets tegen inbrengen. Hakkelend, zoekend naar woorden, begon zij nu ook over haar leven te vertellen. Ze liet Lidewij zelfs foto's van Huug en de kinderen zien. Al die tijd kwam er geen enkele reactie van de vrouw in de rolstoel. Soms mompelde ze iets en af en toe sloeg ze met haar rechterhand op de tafel, maar ze hadden al van Ida begrepen dat dit niet ongewoon was.

'Laten we maar gaan,' stelde Chantal na een halfuur voor.

'Ik ben toch blij dat we gekomen zijn,' zei Penny. 'We hebben haar nu zelf gezien, dat maakt de puzzel helemaal compleet. Het is niet makkelijk om haar zo te zien, maar er zijn nu in ieder geval geen geheimen en geen vragen meer. Het verhaal is af.'

Ze stonden op en probeerden zo goed en zo kwaad als het ging afscheid van Lidewij te nemen. Ze hief nu haar hoofd omhoog en keek hen aan, voor het eerst.

'We gaan weg, mam,' probeerde Chantal nog tevergeefs een reactie uit te lokken.

'Kom.' Penny gaf haar een zacht duwtje in de rug.

'Ze woont hier al vijfendertig jaar, toch vind ik het moeilijk om haar achter te laten,' zei Chantal.

Ida kwam haastig aanlopen.

'Heeft dit bezoek jullie een beetje gebracht wat jullie ervan verwacht hadden?' vroeg ze.

'Niet echt,' antwoordde Penny. 'Maar we zijn wel blij dat we haar nu gezien hebben en ze niet meer alleen een abstract verhaal is. Voor ons is het wat dat betreft wel goed geweest, maar onze moeder heeft er zelf niets aan gehad.'

'Dat weet je nooit helemaal zeker,' zei Ida, net als Chantal even daarvoor. 'Het was een positief bezoek en positiviteit is nooit verkeerd, al lijkt het geen enkel effect te hebben. Gaan jullie maar, ik blijf even bij haar.'

Voor ze de serre verlieten en de gang in liepen, keek Chantal nog een keer om. Ze greep Penny's hand en kneep er hard in.

'Kijk nou,' zei ze ademloos.

Geflankeerd door Ida keek Lidewij hen na. De doffe blik van eerder was geweken voor een lichte schittering. Haar mond, scheef door de beschadiging in haar hersens, vertrok zich kort tot een lachje. Haar rechterhand ging zelfs even omhoog, alsof ze wilde zwaaien. Het duurde slechts een paar seconden tot Lidewij weer in zichzelf keerde, maar de korte verandering in haar houding was onmiskenbaar geweest. Ida stak haar duim tegen de zussen op.

'Ze herkende ons,' zei Chantal. 'Zag je dat, Penny? Ze herkende ons! Heel even maar, maar toch...'
'Dat geloof ik ook, ja,' zei Penny langzaam. 'Die blik, dat lachje... Ze was blij, dat kon je zien. Blij dat het goed met ons gaat.'
Met harten die lichter aanvoelden dan een uur geleden, verlieten ze het gebouw. Hand in hand. Voor iedereen zichtbaar met elkaar verbonden, zoals ze dat vijfendertig jaar lang onzichtbaar waren geweest. Het verhaal was ten einde. Ze konden nu samen aan het vervolg beginnen.